KU-660-714

NEDERLANDS IN ACTIE

NEDERLANDS IN ACTIE

Methode NT2 voor hoger opgeleiden

Berna de Boer
Birgit Lijmbach

bussum 2004

© 2004 Uitgeverij Coutinho b.v.
Alle rechten voorbehouden.
Behoudens de in of krachtens de Auteurswet van 1912 gestelde uitzonderingen mag niets uit deze uitgave worden verveelvoudigd, opgeslagen in een geautomatiseerd gegevensbestand, of openbaar gemaakt, in enige vorm of op enige wijze, hetzij elektronisch, mechanisch, door fotokopieën, opnamen, of op enige andere manier, zonder voorafgaande schriftelijke toestemming van de uitgever.
Voor zover het maken van reprografische verveelvoudigingen uit deze uitgave is toegestaan op grond van artikel 16 h Auteurswet 1912 dient men de daarvoor wettelijk verschuldigde vergoedingen te voldoen aan Stichting Reprorecht (Postbus 3060, 2130 KB Hoofddorp, www.reprorecht.nl). Voor het overnemen van (een) gedeelte(n) uit deze uitgave in bloemlezingen, readers en andere compilatiewerken (artikel 16 Auteurswet 1912) kan men zich wenden tot Stichting PRO (Stichting Publicatie- en Reproductierechten Organisatie, Postbus 3060, 2130 KB Hoofddorp, www.cedar.nl/pro).

Eerste druk, tweede oplage 2006

Uitgeverij Coutinho
Postbus 333
1400 AH Bussum
info@coutinho.nl
www.coutinho.nl

Omslag: Studio Mouche, Bussum
Fotografie: Lies Schenk, Utrecht
Tekeningen: Betty Spanjaard, Studio Mouche, Bussum

Noot van de uitgever
Wij hebben alle moeite gedaan om rechthebbenden van copyright te achterhalen. Personen of instanties die aanspraak maken op bepaalde rechten, wordt vriendelijk verzocht contact op te nemen met de uitgever.

ISBN 90 6283 407 8
NUR 624

Voorwoord

Voor u ligt *Nederlands in actie*, een methode Nederlands voor hoger opgeleide leerders van het Nederlands. De methode is ontwikkeld in de praktijk, in de periode mei 2002 tot december 2003. We hebben zelf met proefversies ervan gewerkt, maar ook een aantal collega's van ons in het buitenland heeft dat gedaan. Hierbij danken we Réka Erszény, Arthur Verbiest en Johanna Roodzant en de leden van de klankbordgroep voor hun constructieve kritiek. Verder gaat onze dank uit naar onze collega's en cursisten van het Talencentrum RUG. Ook willen we onze collega Margaret van der Kamp bedanken voor haar bijdrage aan de correctie en redactie.

We hopen dat gebruikers van *Nederlands in actie*, studenten en docenten, er net zo veel plezier aan beleven als wij hadden aan de ontwikkeling en uitwerking ervan.

Berna de Boer & Birgit Lijmbach
Groningen, maart 2004

Website

Bij dit boek hoort een website met extra materiaal:

- aanvullende grammatica-oefeningen
- internetopdrachten
- docentenhandleiding

Het adres van deze website is www.coutinho.nl

Via deze website kunnen docenten een dvd aanvragen met daarop audio(visueel) materiaal om te gebruiken in de les.

Inhoud

THEMA 1
Werk en vrije tijd

Ideale zaterdag

Suzy Quincy J.: "De ideale zater-
dag? Dat is niet zo moeilijk hoor.
Rond twaalf uur ga ik naar de
Noordermarkt, wat brood of zelf-

5 gemaakte honing proeven. En dan
ga ik lekker appeltaart eten bij
Winkel. Heel leuk want ook in de
winter zit iedereen daar gewoon
op de banken buiten en gaat dan
10 ook vanzelf met elkaar zitten klet-
sen. Meestal haal ik dan nog wat
lekkere dingen bij het Italiaanse
kraampje op de Lindenmarkt. Dan
ga ik koffiedrinken bij Tabac of
15 New Deli. Zo is de hele middag
alweer gevuld. 's Avonds ga ik
eten bij Finch of bij Lof."

Naar: www.leukedingendoen.nl

Spreek- of schrijfopdracht

1 Hoe ziet jouw ideale zaterdag eruit?

Eerst ...	Vervolgens ...
Om een uur of twaalf ...	Daarna...
Dan ...	's Avonds ...

2 Een vriend of vriendin komt een dagje naar de stad waar jij woont (of die het dichtst bij jouw woonplaats ligt). Wat gaan jullie die dag in de stad doen?

Woordvolgorde

Structuur van een hoofdzin

Hij	*werkt*	bij een bank.		
Hij	*werkte*	vorig jaar	in een winkel.	
Hij	*heeft*	nooit	op kantoor	*gewerkt.*
Zij	*werkte*	**een jaar geleden**		in Londen.

Hoofdzin met inversie (geen subject op de eerste positie)			
Vorig jaar	*werkte*	hij	in een winkel.
In april	*werkte*	hij	hier nog.
Dus	*blijf*	ik	thuis.

Oefening 1

Geef antwoord op de volgende vragen. Begin je antwoord met *dan*.

1 Wat doe je als je blij bent? Dan ...
2 Wat doe je als het regent?
3 Wat doe je als je honger hebt?
4 Wat doe je als je moe bent?
5 Wat doe je als je het niet druk hebt?
6 Wat doe je als je jarig bent?
7 Wat doe je als het 30 graden is?
8 Wat doe je als de telefoon gaat?
9 Wat doe je als je iets niet begrijpt?
10 Wat doe je als je te laat komt?
11 Wat doe je als je verkouden bent?
12 Wat doe je als je geen geld meer hebt?
13 Wat doe je als je het koud hebt?
14 Wat doe je als je fiets gestolen is?
15 Wat doe je als de film in de bioscoop heel saai is?

Oefening 2

Zet de woorden in de goede volgorde. Er zijn soms meer mogelijkheden.

1 zag – gisteren – hem – ik – op het station
2 naar Japan – zij – geweest – zijn – vorig jaar
3 dinsdag – moet – bij de tandarts – om 15.00 uur – hij – zijn
4 zitten – van 11.00 tot 13.00 uur – we – in zaal 53 – elke maandag
5 de hele dag – gisteren – gevoetbald – heb – ik – in de sporthal
6 kunnen – om ongeveer 17.00 uur – ze – zijn – bij ons thuis – zaterdag

Oefening 3
Maak de zin af.

1 Morgen ...
2 In Utrecht ...
3 Om 11.00 uur ...
4 Gisteren ...
5 Eerst ...
6 Dan ...
7 Daarom ...
8 Tegenover mijn kantoor ...

■ Een afspraak maken

Lijkt het je leuk om ...?
Zullen we samen ...?
Heb je zin om ...?
Zullen we een afspraak maken?
Kan ik een afspraak maken met meneer ... / mevrouw ...?
Ik wou graag een afspraak maken met meneer ... / mevrouw ...

Ik zal even mijn agenda pakken.
Even in mijn agenda kijken.

Wat dacht je van maandag? — Nee, dan kan ik niet. / Ja, dat kan. / Ja, dat komt goed uit.

Zaterdag, lukt dat?
Kun je woensdag?
Donderdag, komt jou dat uit?

Hoe laat spreken we af? — Om een uur of acht. / Tussen vijf en half zes. / Rond negen uur.

Hoe laat zien we elkaar dan?

Waar zien we elkaar? — Voor de bioscoop. / In De Beurs. / Ik haal je wel op.

Sorry, maar we moeten onze afspraak verzetten.
Wij hebben een afspraak voor donderdag, maar dan kan ik niet.
Ik wou de afspraak afzeggen.

Luisteropdracht

Luister naar de volgende gesprekken.

Ik heb gehoord dat jij ook gek bent op Griekse muziek.
Ja, dat klopt.
Heb je gezien dat er zaterdag een concert is van The Supergreeks?
Ja, dat heb ik gelezen. Ga jij ook?
Ja. Lijkt het je leuk om samen te gaan?
Ja, leuk. Wat spreken we af?
Nou, het concert begint om half tien, dus wat dacht je van half negen?
Waar? In Het Paard?
Ja, prima. Dan zie ik je daar.
Tot zaterdag dan.

Studiehulp, goedemiddag, met Anne-Marie.
Dag, u spreekt met Joshua Elzas. Ik wil graag een afspraak maken met meneer Van Dam.
Dat kan. Even de agenda pakken.
Kan het deze week nog?
Even kijken, ja, dat lukt wel. Donderdag, donderdagmiddag.
Nee, het spijt me, dat komt me niet zo goed uit. Kan het ook op vrijdag?
Ja, dat kan. Vrijdagochtend, half tien, is dat goed?
Ja, dat is prima.
Goed, dan noteer ik dat. Hoe is je naam precies?
Joshua Elzas.
Goed, dat heb ik genoteerd. Vrijdagochtend, half tien.
Dank u wel.
Graag gedaan. Tot ziens.

Spreekopdracht

Wat zeg je in de volgende situaties?

1 Je moet samen met een medestudent een werkstuk maken. Je wilt daarom een afspraak maken. Je doet een voorstel voor een dag en tijdstip. Wat zeg je?

2 Je hebt een afspraak bij de tandarts maar je bent ziek. Je belt op. Wat zeg je tegen de assistente?

3 Je moet vanavond werken. Een vriend vraagt of je meegaat naar de film. Wat zeg je?

4 Je hebt een koelkast gekocht en die wordt woensdag tussen 16.00 en 19.00 uur gebracht. Een vriendin vraagt of je woensdagavond bij haar komt eten. Wat zeg je?

5 Je wilt een afspraak bij de kapper maken. Je kunt alleen zaterdag. Wat zeg je?

6 Je hebt problemen met je computer. Een vriend heeft gezegd dat hij je wel wil helpen. Hij belt op en vraagt wanneer je thuis bent. Wat zeg je?

7 Je hebt volgende week donderdag om 10.00 uur een afspraak met de heer Jansen van Studentenhuisvesting. Je blijkt op die dag van 9.00 tot 12.00 uur een examen te hebben. Je belt de heer Jansen op. Wat zeg je?

Voor vrije tijd is geen tijd

Meer werk en meer slapen betekent automatisch minder vrije tijd. Een week heeft nu eenmaal slechts 168 uur.

5 Tussen 1995 en 2000 nam onze vrije tijd met tweeënhalf uur af. Vooral mensen tussen de 20 en 49, zeker met kinderen of een baan, hebben weinig vrije tijd.

10 De afgelopen vijf jaar zijn over het algemeen gewaardeerde vrijetijdsactiviteiten als vrijwilligerswerk, sociale contacten en bewegen uit de agenda verdwenen.
15 Geen tijd.
Vooral het aantal Nederlanders dat als vrijwilliger of onbetaalde hulpverlener aan het werk is gegaan, daalde.

20 Hierdoor hebben de vrijwilligers die actief bleven, nog meer te doen gekregen.

Ook sporten en de tijd die we doorbrengen met fietsen en wandelen
25 is afgenomen. Maar ook de mensen die sporten, doen dat niet altijd regelmatig. Te koud, te nat, of te druk. De Nederlandse sporter lijkt dus weinig fanatiek.

30 De tijd die mensen besteden aan uitgaan is ongeveer hetzelfde gebleven. Meer Nederlanders gaan af en toe naar het café, maar minder Nederlanders doen dit frequent.
35 Wel besteden we meer vrije tijd aan allerlei culturele bezoeken. Zes minuten langer per week zijn Nederlanders in musea of theater te vinden.

Naar: *de Volkskrant*, 26 oktober 2001

Vragen bij de tekst

Beantwoord de volgende vragen.

1 Waarom is er geen tijd voor vrije tijd?

2 Aan welke activiteiten besteden de mensen minder tijd?

3 Aan welke activiteit besteden de mensen meer tijd?

4 Waarom lijkt de Nederlandse sporter niet zo fanatiek?

Vocabulaire

af en toe (r. 33)
'Ga jij vaak naar de film?' 'Nee, af en toe, ongeveer vier keer per jaar.'

afnemen – nam af – is afgenomen (r. 5)
Het aantal leden van de voetbalclub is minder geworden, het is met 10% afgenomen.

over het algemeen (r. 10)
Over het algemeen kun je direct lid worden van een sportclub, maar soms is er een wachtlijst.

allerlei (r. 36)
Ik moet allerlei dingen op de markt kopen: kaas, groente, vis en olijven.

besteden aan – besteedde – besteed (r. 30)
Ik besteed twee uur per week aan sport.

doorbrengen – bracht door – doorgebracht (r. 23)
'Hoe heb jij je zaterdag doorgebracht?' 'Ik heb uitgeslapen, boodschappen gedaan en ik heb 's avonds bij vrienden gegeten.'

lijken – leek – geleken (r. 29)
1 Lijkt het Amerikaanse football op het Europese voetbal of is het heel anders?
2 Het lijkt me een leuke film, maar ik weet niet of dat zo is.

verdwijnen – verdween – is verdwenen (r. 14)
Mijn fiets is verdwenen. Hij stond hier, maar nu is hij weg.

vooral (r. 7)
Ik vind alle sporten leuk, maar vooral teamsporten. Die vind ik het leukst.

Vocabulaire-oefeningen

1 Welke woorden uit het linkerrijtje hebben ongeveer dezelfde betekenis als de woorden uit het rechterrijtje?

af en toe	• meestal
allerlei	• soms
vooral	• verschillende
over het algemeen	• in het bijzonder

2 Vul een woord in. Denk aan de juiste vorm.

1 Ik vind dit niet zo belangrijk. Ik wil daar geen tijd aan ________.
2 De i en de ie ________ zoveel op elkaar. Ik kan het verschil bijna niet horen.
3 De belangstelling voor cursussen Engels is ________. Vorig jaar waren er vier groepen, dit jaar maar twee.
4 Ik heb de nacht ________ in de bus van Göteborg naar Nederland, dus ik heb bijna niet geslapen.
5 Heeft niemand van jullie die videoband? Dan is hij ________ want ik zie hem nergens.

Toepassingsoefening
Werk in tweetallen. Reageer met het woord tussen haakjes.

Voorbeeld: Heb jij vaak hoofdpijn? (af en toe)
Antwoord: Nee, ik heb gelukkig maar af en toe hoofdpijn.

1 Vind je het leuk in Nederland? (over het algemeen)
2 Zullen we morgen gaan zwemmen? (lijken)
3 Koop je vaak nieuwe kleren? (besteden)
4 Naar welke tv-programma's kijk je meestal? (vooral)
5 Dit is mijn zus. Kun je zien dat het mijn zus is? (lijken op)
6 Gelukkig waait het niet meer zo hard. (afnemen)
7 Waarmee heb je het dan zo druk? (allerlei)
8 Weet jij waar mijn jas is? (verdwijnen)
9 Waar ben je het afgelopen weekend geweest? (doorbrengen)

Spreekopdrachten

1 Wat doe jij graag in je vrije tijd? Kies uit deze lijst drie dingen die je leuk vindt.

- lezen
- sporten
- naar de film gaan
- naar de kroeg gaan
- winkelen

- dansen
- tv kijken
- musiceren
- naar muziek luisteren
- bij vrienden op bezoek gaan

2 Je wilt voor een van je favoriete activiteiten met iemand een afspraak maken. Loop door de groep en zoek iemand die dezelfde activiteit leuk vindt.

Je kunt deze zinnen gebruiken:

Vind jij het ook leuk om	*naar de kroeg te gaan?* *televisie te kijken?*
Heb je zin om	*met mij te gaan winkelen?* *met mij bij vrienden op bezoek te gaan?* *met mij te gaan sporten?*
Zullen we samen	*naar de film gaan?* *op dansles gaan?*

3 Maak samen een afspraak:
dag, tijd, plaats, wat gaan jullie precies doen, waar spreken jullie af / waar zien jullie elkaar, enzovoorts.

4 Vertel in de groep wat jullie gaan doen.

Conjuncties

I *Hoofdzin + hoofdzin*

en	Ik *heb* mijn huiswerk gemaakt en ik *heb* thee gedronken. Hij *studeert* economie en hij *werkt* ook in een bioscoop.
of	Zij *gaat* vanavond naar een vriendin of zij *blijft* thuis. *Wandel* je veel of *fiets* je liever?
maar	Ik *sport* elke week maar ik *sport* niet altijd op dezelfde dag. Wij *willen* een huis kopen maar we *kunnen* niets vinden.

dus	Ik *heb* vanavond gesport dus ik *ben* moe. Nederlanders *werken* meer dus ze *hebben* minder vrije tijd.
want	Ik *ga* straks naar de stad want ik *wil* nog iets bij het Italiaanse winkeltje kopen. Ik *kan* morgen tot 10.00 uur uitslapen want het *is* morgen zaterdag.

II *Hoofdzin + bijzin*

omdat	Ik *ga* vandaag niet naar mijn werk, omdat ik ziek *ben*. Omdat het erg druk *is*, *kan* ik geen vrij krijgen.
terwijl	Hij *las* de krant terwijl hij naar de televisie *keek*. Terwijl we op de markt *liepen*, *vertelde* ze dat.
totdat	Ik *blijf* daar werken totdat ik het werk niet meer leuk *vind*. Totdat mijn contract afgelopen *is*, *blijf* ik daar werken.
voordat	Mannen en vrouwen *werken* meestal full time voordat ze kinderen *krijgen*. Voordat ik met die baan *begin*, *ga* ik twee weken met vakantie.
nadat	Ik *heb* een jaar in het buitenland gewoond, nadat ik mijn diploma gehaald *had*. Nadat je niveau 1 gedaan *hebt*, *kun* je niveau 2 doen.
zodat	Ik *spreek* niet voldoende Nederlands, zodat ik nog niet aan een Nederlandse universiteit *kan* studeren. Ik *heb* drie jaar in Frankrijk gewoond, zodat ik nu goed Frans *spreek*.
toen	Mark *wilde* het liefst profvoetballer worden toen hij klein *was*. Toen ik op de markt *liep*, *zag* ik haar.
als	Hij *belt* jou als hij later *komt*. Als het vanavond *regent*, *ga* ik niet naar de voetbaltraining.

zodra	Wij *zullen* u bellen zodra het resultaat bekend *is*. Zodra deze groep vol *zit*, *starten* we met een nieuwe groep.
hoewel	Ik *vind* studeren leuk, hoewel je dan niet zoveel geld *hebt*. Hoewel ik vaak 's avonds *moet* werken, *vind* ik het een leuke baan.

Oefening 4

Geef antwoord op de volgende vragen. Begin je antwoord met *omdat*.

1 Waarom was je er vorige week niet? Omdat ...
2 Waarom doe je deze cursus?
3 Waarom woon je in deze stad?
4 Waarom drink je geen koffie?
5 Waarom heb je geen fiets?
6 Waarom is Nederland een leuk land?
7 Waarom ga je niet naar de film?
8 Waarom lees je dat boek?
9 Waarom eet je een appel?
10 Waarom ga je nu al naar huis?
11 Waarom ga je boodschappen doen?
12 Waarom ga je naar Utrecht?
13 Waarom heb je zo'n dikke jas aan?
14 Waarom moet je lachen?
15 Waarom heb je je huiswerk niet gemaakt?

Oefening 5

Kies het juiste voegwoord.

1 Ik ga vanavond vroeg naar bed want / of ik moet morgen al om zes uur op.
2 Ik kijk elke avond naar het nieuws zodat / omdat ik weet wat er in de wereld gebeurt.
3 Toen / als de directeur 65 wordt, stopt hij met werken.
4 Ik heb leuke collega's maar / en buiten werktijd zie ik ze niet vaak.
5 Zij leest eerst haar e-mails nadat / voordat ze begint te werken.
6 Het is niet druk op het werk maar / dus ik kan een dag vrij nemen.
7 Zodra / terwijl ze komt, zal ik het haar vertellen.

8 Nadat / als ik die baan in Rotterdam krijg, moet ik verhuizen.
9 Ik ben heel blij met mijn baan omdat / hoewel het interessant werk is.
10 Ik blijf studeren zodat / totdat ik het niet meer leuk vind.
11 Ik was klaar met mijn studie toen / als ik 22 was.
12 Hij gaat vanavond wel naar het feest voordat / hoewel hij morgen een examen heeft.

Oefening 6

Maak complete zinnen. Combineer een zin met een cijfer met een zin met een letter.

1 Thea komt altijd lopend naar het werk want
2 Ik blijf twee avonden per week sporten totdat
3 Yvonne leest een e-mail terwijl
4 Je moet eerst een afspraak maken voordat
5 Je moet de vragen maken nadat
6 Ik woonde op een kleine kamer toen
7 Hij werkt bij een internationaal bedrijf zodat
8 U bent ingeschreven voor deze cursus zodra
9 Het is leuk werk hoewel
10 Ik heb een deeltijdbaan dus

a ze de telefoon opneemt.
b het niet goed verdient.
c me dat te veel wordt.
d je naar de tandarts kan gaan.
e ik heb ook nog tijd voor andere dingen.
f ik studeerde.
g hij in veel verschillende landen heeft gewoond.
h je de tekst hebt gelezen.
i wij het geld hebben ontvangen.
j ze woont vlakbij.

Spreekopdracht

Je krijgt van je docent een memosticker waar een beroep op staat. Je moet dat beroep raden. Iedereen loopt door het lokaal. Je mag maximaal twee vragen aan dezelfde persoon stellen. Deze stelt ook twee vragen aan jou. Dan loop je naar iemand anders en stelt weer twee vragen, totdat je het beroep geraden hebt.
De ander mag alleen met 'ja' of 'nee' antwoorden. Je moet dus ja/nee vragen stellen.

Bijvoorbeeld: Heb je een universitaire opleiding nodig?
Werk je veel met je handen?
Heeft het beroep status?

Vragen bij de tekst

- Wat wilde je vroeger worden? Waarom?
- Wat wil je nu worden? Waarom lijkt je dat leuk?
- Welk beroep wil je absoluut niet uitoefenen? Waarom niet?

Jongeren dromen van andere banen dan ze uiteindelijk kiezen

Van onze verslaggever
AMSTERDAM

Jongens willen het liefst hun geld verdienen als profvoetballer, coureur of coach van Ajax, meisjes dromen van een baan als verpleegkundige, chirurg of (nog altijd) als stewardess. Dat blijkt uit een onderzoek van onderwijsonderzoeksbureau BOP.
In het onderzoek hebben ruim 1600 jongeren van 15 tot 19 jaar hun mening gegeven over hun toekomstige werk, opleiding en privé-leven. Jongens dromen vooral over een carrière in de

→

wereld van sport, economie of lucht- en ruimtevaart. Meisjes hebben liever een baan in de zorg, dienstverlening of in het onderwijs.

In werkelijkheid kiezen ze echter voor heel andere beroepen en opleidingen dan in hun dromen. Bijna de helft van de ondervraagde personen denkt dat ze later een heel andere baan zullen vinden dan wat ze nu interesseert. Ze laten hun keuze afhangen van de hoogte van het salaris, van de status van het beroep en van de mening van anderen. Deze factoren zijn belangrijker dan hun persoonlijke interesse. Ook vooroordelen over echte mannen- en vrouwenberoepen bestaan volgens de BOP-onderzoekers nog steeds.

De tieners denken dat werken gekker, leuker, plezieriger en gevarieerder zal worden als ze veertig zijn. Ze menen dat dan meer mensen hun lievelingsberoep kunnen uitoefenen en dat iedereen dan zin heeft om naar het werk te gaan. Vaak zullen beide partners werken, ook als er kinderen zijn, en mannen gaan meer deeltijdbanen nemen.

Naar: de *Volkskrant*, 12 februari 2000

Zijn de volgende beweringen 'waar' of 'niet waar'?

1. Vroeger wilden meisjes ook al graag stewardess worden.
2. Jongens dromen van heel andere banen dan meisjes.
3. Bij de keuze voor een beroep is persoonlijke interesse het belangrijkst.
4. Jongeren van nu vinden dat er geen typisch mannelijke of typisch vrouwelijke beroepen zijn.

Vocabulaire

afhangen van - hing af - afgehangen (r. 27)

'Ga je met de fiets naar je werk?' 'Dat hangt van het weer af. Als het regent, ga ik met de bus.'

'Ga je mee lunchen?' 'Dat hangt ervan af. Hoe laat gaan jullie lunchen en waar?'

de baan (r. 4)

Hans heeft informatica gestudeerd. Hij zoekt nu een baan in de IT-sector.

het beroep (r. 21)
Mijn vader was tandarts. Mijn zus heeft hetzelfde beroep, zij is ook tandarts.

blijken - bleek - is gebleken (r. 6)
Ik wist niet of deze studie leuk was. Ik ben begonnen en het blijkt een goede keuze: ik vind het heel interessant.

echter (r. 20)
Hetty begon in september met de studie pedagogie. Ze is echter al na drie maanden gestopt.

de factor (r. 30)
We willen een huis kopen dat dicht bij het sportcentrum is. Dat is voor ons een belangrijke factor.

de hoogte (r. 28)
1 De hoogte van de Euromast is 185 meter.
2 'Weet jij welke muziek nu op nummer 1 staat?' 'Nee, daar ben ik niet van op de hoogte. Ik luister nooit naar popmuziek.'

laten - liet - gelaten (r. 27)
Ik kan nog geen officiële brieven in het Nederlands lezen. Deze brieven laat ik vertalen. Een collega vertaalt ze voor mij.

menen - meende - gemeend (r. 39)
1 Hij is vorig voorjaar hier gekomen, ik meen in maart. Of was het april?
2 Hij zegt dat hij stopt met deze baan en hij meent dat echt. Het is geen grap.

de mening (r. 11)
'Wat is jouw mening over dit plan?' 'Ik denk dat dit plan heel goed is.'

het onderzoek (r. 7)
Janneke werkt aan de universiteit. Ze doet onderzoek naar de Nederlandse journalistiek in de periode 1960-1970.

de opleiding (r. 12)
Je moet een lange opleiding volgen om arts te worden.

ruim (r. 9)
Deze cursus duurt veertien maanden, dus ruim een jaar.

steeds (r. 35)
1 Ik heb tien sollicitatiegesprekken gehad, maar ik krijg steeds een negatieve reactie.
2 'Woon je nog in de Oranjelaan?' 'Ja, daar woon ik nog steeds. Ik ben niet verhuisd.'

verdienen - verdiende - verdiend (r. 2)
Als je 's nachts of in het weekend moet werken, verdien je meer. Voor die uren krijg je extra geld.

de werkelijkheid (r. 20)
Veel kinderen dromen van een carrière in de sport. In werkelijkheid komen maar weinig mensen aan de top.

Vocabulaire-oefeningen

1 Vul een woord in.

1 We gaan uit eten met alle collega's. John kan ___________ niet komen. Zijn vrouw is ziek.
2 Vind je deze tekst leuk, interessant, moeilijk? Zeg het maar. Ik wil graag jouw ___________ weten.
3 Ik woon hier nu ___________ een half jaar.
4 Ik wil rood haar hebben, dus ik ___________ mijn haar bij de kapper verven.
5 In veel Nederlandse achternamen zie je een ___________ : Bakker, de Boer, Visser, Dokter.

2 Welke woorden kun je in deze zinnen invullen?

1 Op welke scholen kun je docent worden? Dat ___________ van je ___________ ___________
2 In ___________ hebben mannen nog ___________ een hoger salaris dan vrouwen.
3 Dat ___________ uit een ___________ van de universiteit.
4 De ___________ van het salaris kan een belangrijke ___________ zijn.
5 Hij heeft de ___________ fysiotherapie gedaan, maar hij heeft een ___________ in een restaurant, als kok.

Toepassingsoefening
Werk in tweetallen. Reageer met het woord tussen haakjes.

1 Heb je een nieuw telefoonnummer? (steeds)
2 Hoe duur is een retour Groningen-Amsterdam? (menen)
3 Kan iedereen docent worden? (opleiding)
4 Jongens en meisjes kunnen dezelfde beroepen kiezen. Doen ze dat? (werkelijkheid)
5 Wat voor werk heb je / zoek je? (baan)
6 Welke groente eet je vandaag? (afhangen van)
7 Waarom vraag je dit? (onderzoek)
8 Hoe is het salaris van docenten in jouw land? (verdienen)
9 Ik vind dat echt onzin. Wat vind jij? (mening)
10 Wat weet jij van de Nederlandse politiek? (op de hoogte zijn van)
11 Kun jij zelf je fiets repareren? (laten)
12 Hoe lang werk je nu hier? (ruim)
13 Hoe weet je dat vrouwen minder verdienen dan mannen? (blijken)
14 Welke aspecten zijn belangrijk bij het leren van een vreemde taal? (factor)
15 Wat voor werk wil je doen? (beroep)

Schrijfopdracht

Je hebt sinds een maand een baan. Je schrijft een brief / e-mail naar een vriend(in) en vertelt over je werk:

- Wat doe je precies?
- Wat vind je wel en niet leuk?
- Hoe zijn je collega's?

Oefening 7
Maak de volgende zinnen af.

1 Ik ga het liefst op vakantie voordat ...
2 U kunt hier wachten totdat ...
3 Ik heb wel zin om vanavond te komen maar ...
4 Ik kom naar je toe zodra ...
5 Gerard keek heel verbaasd toen ...

6 Ik kan morgen niet komen want ...
7 Ik krijg altijd hoofdpijn als ...
8 Hij ging nog even iets drinken in het café nadat ...
9 Ellen is er vandaag niet omdat ...
10 Hij belde terwijl ...
11 Omdat de docent ziek is, ...
12 Hoewel ik geen geld heb, ...

Oefening 8

Werk in tweetallen. Stel elkaar de volgende vragen. Begin je antwoord met het woord dat gegeven is.

1 Waarom ga je vanavond niet naar het concert? Omdat ...
2 Waar woonde je toen je tien jaar was? Toen ...
3 Tot wanneer volg je een cursus Nederlands? Totdat ...
4 Bevalt je huis je? Ja, hoewel ...
5 Wanneer hoor ik of de afspraak doorgaat? Zodra ...
6 Ben je dit weekend thuis? Nee, want ...
7 Ga je vanavond zwemmen? Ja, maar ...
8 Wanneer heb je de krant gelezen? Toen ...
9 Wanneer ga je niet naar de cursus? Als ...
10 Wanneer lees je meestal? Voordat ...

Prepositie-oefening

Vul de juiste prepositie in. Controleer daarna je antwoorden. Noteer de combinaties die je fout had.

Deze cursus is bedoeld voor jongeren __________ 12 en 16 jaar, die al enige jaren muziekles hebben gehad. De cursus begint __________ de tweede week van september, en is __________ maandagavond. We beginnen __________ acht uur, en we gaan door __________ half tien. Als je belangstelling hebt __________ deze cursus, kun je contact opnemen __________ Marja Vlieland, tel. 123456.

Als kind droomde ik __________ een carrière als filmster. Dat blijkt ook wel __________ de vele plakboeken die ik had. Ik verzamelde heel veel foto's __________ filmsterren, en plakte die __________ deze boeken. Hier, __________ deze foto zie je mij, als filmster verkleed. Mooi, hè?

Er zijn veel vooroordelen __________ Nederlandse mannen, bijvoorbeeld dat ze niet romantisch zijn. Wat is jouw mening __________ de Nederlandse man? Ik denk dat je __________ het algemeen kunt zeggen dat ze wat minder romantisch zijn dan mannen die __________ andere landen komen.

Er is niet veel belangstelling meer __________ een baan als leraar of onderwijzer. Maar weinig jongeren kiezen __________ dit werk. Werk __________ het onderwijs is alleen aantrekkelijk als je denkt __________ de lange vakanties, vinden veel jongeren. Ook de zorg heeft grote problemen: jongeren willen niet __________ de zorg werken. Wie daar __________ het werk wil, kan direct een baan krijgen.

Hij heeft geen plezier __________ zijn werk. Dat blijkt __________ zijn verhaal. Hij besteedt veel tijd __________ zijn hobby's. Dat is jammer, want zo heeft hij geen tijd meer __________ zijn vrienden.
Dat hangt __________ je hobby af: als dat iets sociaals is, is het toch geen probleem! Je kunt bijvoorbeeld samen __________ de film gaan, en __________ de film kun je nog iets gaan drinken. Je kunt dan nog wat praten __________ de film en allerlei andere dingen.

Luisteropdracht: Kanjerprijs

Kijk naar het volgende beeldfragment. Kloppen deze uitspraken? Of wordt het niet gezegd in het fragment?
Noteer achter elke uitspraak: ja / nee / ?

1. Toen Mike twaalf was, wilde hij in de zorg gaan werken.
2. Mike was elektricien.
3. Mike is nu bejaardenverzorger.
4. Een bejaardenverzorger verdient meer dan een elektricien.
5. Mike krijgt de prijs omdat hij van beroep veranderd is.
6. Mike krijgt de prijs omdat hij heel goed met oude mensen omgaat.
7. Mike zoekt een baan in de bejaardenzorg.
8. Mike kreeg belangstelling voor de bejaardenzorg door het contact met zijn oma.
9. Mikes vader vindt het jammer dat Mike geen elektricien meer is.
10. Mikes vader werkt in de bouwsector.

11 Mikes vader vindt dat je beter van beroep kunt veranderen als je wat ouder bent.
12 Mikes vader vindt dat Mike een goede keuze heeft gemaakt.

Luisteropdracht

Je gaat luisteren naar een liedje waarin de zanger vertelt over de dromen die mensen hebben als ze klein zijn. Luister naar het lied.

- Wat wilden ze vroeger worden, welke dromen hadden ze?
- Wat zijn ze later geworden?

Is dit nou later

We speelden ooit verstoppertje
In de pauze op het plein
We hadden grote dromen
Want we waren toen nog klein

De ene werd een voetballer
De ander werd een held
We geloofden in de toekomst
Want de meester had verteld

Jullie kunnen alles worden
Als je maar je huiswerk kent
Maar je moet geduldig wachten
Tot je later groter bent

Is dit nou later
Is dit nou later als je groot bent
Een diploma vol met leugens
Waarop staat dat je volwassen bent
Is dit nou later
Is dit nou later als je groot bent
Ik snap geen donder van het leven
Ik weet nog steeds niet wie ik ben
Is dit nou later

We spelen nog verstoppertje
Maar niet meer op het plein
En de meesten zijn geworden
Wat ze toen niet wilden zijn

We zijn allemaal volwassen
Wie niet weg is, is gezien
En ik zou die hele chaos
Nu toch helder moeten zien

Maar ik zie geen hand voor ogen
En het donker maakt me bang
Mamma, mamma ...
Kan het licht aan op de gang

Is dit nou later
Is dit nou later als je groot bent
Een diploma vol met leugens
Waarop staat dat je de waarheid kent
Is dit nou later
Is dit nou later als je groot bent
Ik snap geen donder van het leven
Ik weet nog steeds niet wie ik ben
Is dit nou later.

Uitgevoerd door Stef Bos

REFLECTIE

Dit is het eind van een hoofdstuk. Denk erover na of je het volgende wel of niet kunt.

- ☐ Je kunt de beschrijving van gebeurtenissen in een persoonlijke en in een zakelijke tekst voldoende begrijpen. Je kunt de betekenis van onbekende woorden in die teksten raden.
- ☐ Je kunt de grammatica van dit hoofdstuk toepassen: je kunt de woorden van een hoofdzin en een bijzin in de goede volgorde plaatsen. Je kunt de juiste conjuncties gebruiken.
- ☐ Je kunt een gesprek voeren over alledaagse onderwerpen.
- ☐ Je kunt een voorstel doen voor een gezamenlijke activiteit.
- ☐ Je kunt een gesprek samenvatten en reageren op vragen van anderen over dat gesprek.
- ☐ Je kunt feitelijke informatie uit een gesprek halen.
- ☐ Je kunt een persoonlijke brief schrijven waarin je schrijft over je werk: gebeurtenissen, ervaringen en gevoelens.
- ☐ Je kunt de grote lijn uit een beeldfragment halen.
- ☐ Je kunt de grote lijn uit een liedje halen.

THEMA 2
Reizen

Prijs bij de Staatsloterij: een ruimtereis

De Staatsloterij krijgt een nieuwe superprijs: een reis naar de ruimte. Een Spaceshuttle van NASA gaat begin volgend jaar met een groep prijswinnaars (uit Europa en Japan) de ruimte in. Een van deze bofkonten komt uit Nederland.

Als het doorgaat, is het de eerste toeristische vlucht van de Spaceshuttle.

De ruimtereis kun je niet winnen door een staatslot te kopen (met een Staatslot kun je 'alleen maar' miljoenen winnen). Je kunt de ruimtereis winnen in een spel, Big Mission, dat een jaar lang wordt gespeeld, in de televisieshow van de Staatsloterij. Deze show is vanaf februari volgend jaar te zien op de zender RTL 4.

Het spel wordt gespeeld met vijfhonderd deelnemers per keer. Elke keer is er één winnaar. Na acht rondes zijn er acht mensen die naar NASA gaan voor een selectie en een training. Van deze acht mensen gaan er drie door naar de finale op oudejaarsavond. De winnaar van de finale mag enkele weken later vijf of zes rondjes rond de aarde vliegen.

Het spel is belangrijk voor de Staatsloterij, omdat er dan veel mensen naar de Staatsloterijshow kijken. Ze maken er ook reclame mee: 'We hebben het hele jaar als motto: *The sky is the limit.*'

En wat komt er na dit spel? Er zijn al ideeën: 'Misschien een ruimtereis voor het hele gezin? Het toerisme in de ruimte is nog maar net begonnen.'

De show is ontwikkeld door een Zweedse tv-maatschappij. De Staatsloterijshow tekent het contract, en behalve door de Staatsloterijshow wordt het ook getekend door de BBC, NBC en een Japanse tv-maatschappij.

Naar: de *Volkskrant*, 4 oktober 2001

Vragen bij de tekst

Beantwoord de volgende vragen.

1 De Spaceshuttle van NASA gaat begin volgend jaar de ruimte in.
   a Dit is zeker.
   b Dit is nog niet zeker.

2 Als je a een staatslot koopt, / b meedoet aan het spel Big Mission, kun je een ruimtereis winnen.

3	Na een jaar hebben	a	500 mensen	meegedaan aan het spel.
		b	4000 mensen	
4	De winnaar vliegt	a	in december	rond de aarde.
		b	in januari	

Vocabulaire

behalve (r. 46)

1. Iedereen gaat mee naar het concert, behalve Marcel. Hij blijft thuis.
2. Behalve leuk werk vinden de meeste mensen vrije tijd ook belangrijk.

doorgaan – ging door – is doorgegaan (r. 8)

Joseph stopt met de cursus, maar Sophie en Janet gaan door.

de maatschappij (r. 44)

1. In de Nederlandse maatschappij is een goede opleiding belangrijk.
2. Bart gaat vaak naar het buitenland voor zijn werk, want hij werkt voor een exportmaatschappij.

ontwikkelen – ontwikkelde – ontwikkeld (r. 43)

Jim heeft een nieuwe methode ontwikkeld om planten te onderzoeken. Hij heeft jaren aan die methode gewerkt.

de deelnemer (r. 22)

De workshop was een groot succes. De deelnemers waren zeer tevreden.

net (r. 42)

Ik heb Claire maar heel even gezien op het feest. Ze kwam net binnen toen ik wegging.

de prijs (titel)

1. Ik heb meegedaan aan de loterij en ik heb een prijs gewonnen: een radio.
2. 'Hoe duur is deze spaghetti?' 'Dat weet ik niet. Staat de prijs niet op het pak?'

het spel (r. 15)

Is schaken een spel of een sport?

het spelletje

Hou je van computerspelletjes?

winnen – won – gewonnen (r. 11)

Zaterdag speelt ons team tegen Blauw-Wit. Ik hoop dat we winnen!

Vocabulaire-oefening

Vul een woord in. Denk aan de juiste vorm.

1 Staan de ____________ klaar? Start!
2 Na de pauze ____________ we ____________ met deze oefening.
3 In de jaren '60 is het Deltaplan ____________. Hierdoor is Zeeland veiliger geworden.
4 Ik vind alles lekker, ____________ vis. Ik houd niet van vis.
5 De ____________ van tomaten hangt van het seizoen af. In de zomer zijn ze over het algemeen goedkoper.
6 Pieter kan heel goed zwemmen. Hij heeft goud ____________ bij de vorige Olympische Spelen.
7 Ik was ____________ op tijd voor de trein, een halve minuut voor hij vertrok.
8 Ik weet een leuk ____________: ik denk aan een beroep en jij moet raden aan welk beroep ik denk.
9 Ank werkt bij een ____________ waar boten gemaakt worden. Er werken daar ongeveer 300 mensen.

Toepassingsoefening

Werk in tweetallen. Reageer met het woord tussen haakjes.

1 Mag iedereen op het veld komen bij een voetbalwedstrijd? (deelnemer)
2 Wat doen we na de pauze? (doorgaan)
3 Wat zullen we doen? Heb jij een idee? (spel)
4 Hoe was de wedstrijd? (winnen)
5 Is de supermarkt elke dag open? (behalve)
6 Wat betekent KLM? (maatschappij)
7 Kun je al goed Nederlands spreken? (net)
8 Wat voor werk kan een onderzoeker doen? (ontwikkelen)
9 Wat is een belangrijk verschil tussen Nederland en jouw land? (prijs)

Spreek- en schrijfopdrachten

1 Je werkt bij de organisatie van een loterij. Jullie loterij moet concurreren met de Staatsloterij, die als hoofdprijs een ruimtereis geeft.

Zoek een collega (een medecursist) en bedenk samen:

- een naam voor jullie loterij
- een hoofdprijs die nog aantrekkelijker is dan een ruimetereis
- een motto, waarmee jullie reclame gaan maken

Vervolgens moet je in een reclamespot van 20 seconden jullie loterij presenteren.
Denk aan korte, krachtige zinnen.

2 Maak de zinnen af. Gebruik woorden uit de tekst en let op de volgorde van de woorden.

Ik ga meedoen met Big Mission, want ik heb gehoord dat ...
Het lijkt me leuk om zo'n prijs te winnen, want ...
De kans op de hoofdprijs is maar klein, omdat ...
Maar wie weet. Misschien ben ik een van de bofkonten!

3 Schrijf een gedicht dat past bij de tekst over de ruimtereis.
Niet zomaar een gedicht, maar een 'elfje'.
Een elfje bestaat uit 11 woorden.
Op de 1e regel komt het eerste woord, en dat is ook het thema.
Op de 2e regel komen 2 woorden,
Op de 3e regel 3 woorden,
Op de 4e regel 4 woorden,
En op de 5e regel komt nog 1 woord. En dat is tegelijk het eind van het gedicht.

Je hoeft geen complete zinnen te schrijven. Alleen de woorden zijn belangrijk.

Een paar voorbeelden:

zomer
lekker liggen
in de zon
warm in mijn hart
zonnetje!

zeven
mooi getal
het brengt geluk
ik heb altijd geluk
bofkont

fietsen
op straat
kijk toch uit!
pas op, een auto!
Boem!

tuintje
mooie bloemen
frisse zomerse kleuren
brengen me weer thuis
heimwee

Indirecte rede

1	Directe rede:	De prijs is een ruimtereis.	
	Indirecte rede:	In het artikel staat dat de prijs een ruimtereis is.	
2	Directe vraag:	Is de prijs een ruimtereis?	
	Antwoord:	ja / nee	
	Indirecte vraag:	Hij vraagt of de prijs een ruimtereis is.	
	Directe vraag:	Wat is de prijs?	Voor wie is de prijs?
	Indirecte vraag:	Hij vraagt wat de prijs is.	Zij vraagt voor wie de prijs is.

Oefening 1

Zet de tekst (in de ballonnen) in de indirecte rede.

De man vraagt zich af...

Sherlock Holmes denkt...

De vrouw schrijft...

De man is blij...

De mensen overleggen ...

Zij vragen...

De skiester twijfelt ...

Hij hoopt ...

De man vraagt ...

Hij weet niet ...

Oefening 2
Bedenk een stelling. Een ander herhaalt die stelling in de indirecte rede en bedenkt een nieuwe stelling.

Voorbeeld:
- Werken in het weekend is zwaar.
- Hij zegt dat werken in het weekend zwaar is.
  Franse films zijn het leukst.
- Zij zegt dat Franse films het leukst zijn.
  ...

Oefening 3
Stel een vraag. Een ander herhaalt die vraag in de indirecte rede en stelt een nieuwe vraag.

Voorbeeld:
- Studeert Julia economie?
- Zij vraagt of Julia economie studeert.
  Waarom kijk jij zo vaak televisie?
- Hij vraagt waarom jij zo vaak televisie kijkt.
  ...

Luisteropdrachten

Luister naar de volgende gesprekken. Beantwoord de vragen.

Gesprek 1
1 Welke toets moet je indrukken voor een persoonlijk reisadvies?
2 Waar wil de beller naartoe?
3 Welk reisadvies krijgt de beller?
4 Hoe laat kom je dan aan?

Gesprek 2
1 Welk nummer moet je indrukken bij problemen?
2 Van waar vertrekt de beller?
3 Wat verstaat de computer?
4 Moet de beller overstappen?

Luister naar de volgende berichten en beantwoord de vragen.

Je wilt weten wanneer de ijsbaan open is. Je belt naar het sportcentrum.

1 Wat is het adres van de website van het sportcentrum?
2 Welke toetsen moet je indrukken om de openingstijden van de ijsbaan te horen?

Je belt met de girofoon van de Postbank.

3 Wat moet je doen om toegang te krijgen?
4 Je wilt een betaling doen. Welk nummer moet je dan kiezen?

Je hebt net een nieuwe mobiele telefoon gekocht. Je wilt de instructie niet in het Nederlands hebben.

5 Welk nummer moet je kiezen om dat te veranderen?

■ Telefoneren

JIJ BELT

Als jij belt
(dag) met [naam].
(dag) u spreekt met [naam].

Als je mevrouw/meneer X wilt spreken
Kan ik mevrouw/meneer X spreken?
Is mevrouw/meneer X aanwezig?

Als mevrouw/meneer X niet aanwezig is
Misschien kunt u mij helpen?
Weet u ook wanneer ik haar/hem kan bereiken?
Kunt u vragen of zij/hij mij terugbelt?

Als je een boodschap wilt achterlaten
Kunt u zeggen dat ik gebeld heb?
Kan ik een boodschap achterlaten?
Kunt u een boodschap doorgeven?

Als je later terug wilt bellen
Ik bel later wel terug.
Ik probeer het later nog een keer.

Aan het eind van het gesprek
Bedankt.
Dank u wel voor de informatie.
Goedemorgen/middag/dag/tot ziens.

JE WORDT GEBELD

Als je opneemt
(Goedemorgen/goedemiddag/dag) met [naam], met [naam bedrijf]
Wat kan ik voor u doen?

Als je de ander niet goed verstaat
Pardon, ik kan u niet goed verstaan. Kunt u het nog een keer zeggen?
Met wie spreek ik?

Als je nog een keer de naam van de ander vraagt
Wat is uw naam (ook alweer)?

Als je de ander doorverbindt
Moment, ik verbind u door.
Ik zal even kijken (of zij/hij aanwezig is), moment(je).

Als het toestel in gesprek is
Het nummer is in gesprek.
Wilt u wachten of belt u terug?

Als mevrouw/meneer X niet aanwezig is
Zij/hij is er niet / is niet aanwezig.
Zij/hij neemt niet op.

Als je de ander wil helpen
Kan ik u misschien helpen?
Ik zal zeggen dat u hebt gebeld.

Als reactie op bedanken
Graag gedaan.
Tot uw dienst.

Eind van het gesprek
Goedemorgen/goedemiddag/dag.

Spreekopdrachten

Voer het gesprek en gebruik daarbij de informatie die hieronder staat.

A Je belt met het bedrijf Citro	B Je bent telefoniste bij het bedrijf Citro
	Je neemt op
• Je zegt je naam • Je wilt mevrouw Van der Veen spreken	
	Je vraagt nog een keer de naam van de ander
Je herhaalt je naam	
	• Je verbindt de ander door • Mevrouw Van der Veen is niet aanwezig
Mevrouw Van der Veen is niet aanwezig: reageer	
	Je wilt de ander helpen
Eind van het gesprek	
	Eind van het gesprek

A Je belt met de Centrale Studentenadministratie	B Je werkt bij de Centrale Studentenadministratie
	Je neemt op
Je zegt je naam	

Je verstaat de ander niet goed

Je wilt met meneer Meijer spreken

- Je verbindt de ander door
- Het toestel is in gesprek

Je belt later terug

Eind van het gesprek

Eind van het gesprek

Leesopdracht

Je werkt net bij Cycletours. Je krijgt een telefoontje met een vraag om informatie over hun fietstochten. Je hebt de gids nog niet goed doorgelezen. Probeer zo snel mogelijk de vragen te beantwoorden.

Vragen bij de tekst

1 Ik wil in ieder geval een Waddeneiland bezoeken. Welke fietstocht moet ik dan kiezen?

2 Welke fietstocht heeft een combinatie van fietsen en museumbezoek?

3 Ik vind het leuk om door verschillende soorten landschappen te fietsen. Welke fietstocht(en) kan ik dan maken?

4 Bij welke fietstocht kan ik aan het eind een paar dagen in België blijven?

5 Is er ook een fietstocht die door bos gaat?

Gelukkig, dat is goed gegaan. Lees nu de informatie beter door.

Cycletours is in 1981 begonnen met de organisatie van een fietsreis door Frankrijk. In 2002 is het uitgegroeid tot een wereldwijde reisorganisatie: in bijna vijftig landen verzorgen wij ruim tweehonderd verschillende fietsreizen.

In 1988 ontdekten we ons eigen land, Nederland. Nederland is zeer geschikt als fietsland: het land is vlak en heeft heel veel voorzieningen voor fietsers. Door de duizenden kilometers fietspad heeft u geen last van het autoverkeer. Daarnaast heeft Nederland ook een uitgebreid netwerk aan waterwegen. Vrijwel elk plekje in Nederland is daarom per schip en fiets te bereiken. Dit inspireerde ons tot de formule fietsen & varen; Nederland ontdekken per fiets, dineren en overnachten aan boord van een schip dat meevaart. Uw koffer hoeft u dus maar één keer uit te pakken.

Onze gasten ervaren deze manier om Nederland te ontdekken als orgineel en indrukwekkend. Immers, u ziet de meest interessante bezienswaardigheden van Nederland in uw eigen tempo vanaf de fiets. Wij zorgen ervoor dat u via de aantrekkelijkste routes fietst.

U fietst ongeveer vijftig kilometer per dag, met het minste autoverkeer, het meeste groen, de mooiste molens, de oudste steden en de beste terrasjes. Zó kunt u in een korte tijd heel veel van Nederland zien en ervaren. Want hoe klein ons land ook is, er is ontzettend veel te ontdekken.

Naar: *Bike & Boat Holidays 2002* – Cycletours Holland

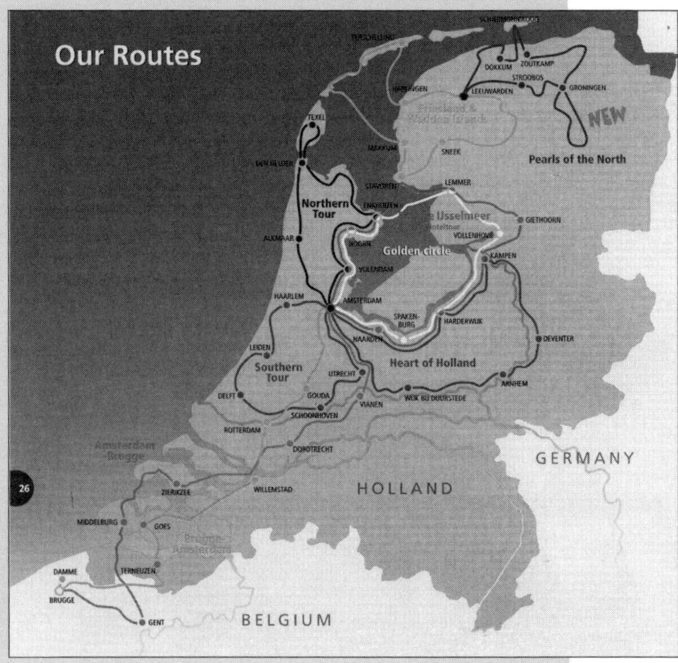

Gouden cirkel

Fietsen en varen rond de
50 **vroegere Zuiderzee**
De Zuiderzee is verbonden met de periode van de 17e eeuwse welvaart, de Gouden Eeuw, waarin Holland een van de machtigste
55 zeevarende landen van de wereld was.

Rond die Zuiderzee, nu het IJsselmeer, liggen veel havenplaatsen die toen bekend waren
60 over de hele wereld. Monnickendam, Hoorn, Vollenhove, Harderwijk en Amsterdam zijn enkele van die prachtige plaatsen met veel monumenten.
65 Varen en fietsen vormen ook hier weer de ideale combinatie om de rijkdom en schoonheid van stad en land te ervaren.

In een week fietst u door min-
70 stens vier verschillende landschappen: het typische Hollandse polderlandschap; in Overijssel het moerassengebied van het Nationaal Park 'De Weerribben'; het
75 bos- en heideland van de Veluwe en het unieke plassen- en veengebied rond de rivieren Vecht en Amstel.

In bijna elk gebied zijn korte en
80 lange fietsroutes gepland. U heeft echter ook de mogelijkheid om musea te bezoeken.

De route van dag tot dag
(+ kilometers)
85 **za** Amsterdam, korte rondrit (20)
zo Amsterdam – Hoorn – Enkhuizen (52)
ma Enkhuizen – Lemmer (28)
di Lemmer – Vollenhove (45/65)
90 **wo** Vollenhove – Harderwijk (33/60)
do Harderwijk – Spakenburg (47/69)
vr Spakenburg – Amsterdam (46/57)
95 **za** Amsterdam

Naar: *Bike & Boat Holidays 2002* – Cycletours Holland

Amsterdam – Brugge

Twee beroemde steden in Nederland en België vormen het begin en eind van deze fietsvaarvakan-
100 tie. Amsterdam, de grootste monumentenstad in Nederland en Brugge, het mooiste monument van België. Of ... de Hollandse 17e eeuwse Gouden Eeuw en de bloei-
105 tijd van de Vlaamse handelssteden in de Middeleeuwen.
Of ... de Hollanders die op en aan het water leven en de Belgen in veiliger gebieden verder weg van
110 de zee.
U zult die grote verschillen opmerken: het groene, waterrijke Hollandse polderlandschap met zijn stille weggetjes en dorpjes; de
115 verschillende eilanden van Zeeland met dijken en dammen; het platteland tussen de Vlaamse steden Gent en Brugge in België.

→

120 Steden, die hun bloeitijd al hadden ver voor de opkomst van de Hollandse bloeitijd. Dat is onder andere goed te zien in de bouw- en schilderkunst.

125 Ook de grote rivieren in dit deel van Nederland en België zijn in deze route opgenomen. Natuurlijk kunt u kennismaken met Nederlands eigen wereldwonder: de Deltawerken, die ons iets

130 laten zien van de strijd van de mens tegen de zee.

Beroemde monumentensteden en stadjes op de route zijn in Nederland: Dordrecht, Zierikzee,

135 Veere, Middelburg en in België: Gent en Brugge.

De route van dag tot dag (+ kilometers)

140 **za** Amsterdam, korte rondrit (20)
zo Amsterdam – Vianen (53)
ma Vianen – Dordrecht (54)
di Dordrecht – Zierikzee (23/55)
wo Zierikzee – Middelburg (40/53)
145 **do** Middelburg – Breskens – Gent (50/67)
vr Gent – Brugge (55)
za Brugge

Naar: *Bike & Boat Holidays 2002* – Cycletours Holland

Parels van het Noorden
Friesland, Groningen, Drenthe

Het best bewaarde geheim van

150 Nederland: het unieke en voor veel mensen onbekende van de noordelijke provincies! Verschillend in karakter, in landschap en taal/dialect, maar ook met overeenkom-

155 sten in landelijke rust en mooie fietsroutes. In Friesland kunt u de sfeer proeven van de kleine binnensteden van Leeuwarden en Dokkum, maar ook het wijde plat-

160 teland met zijn terpdorpen. Vlakbij, midden in de Waddenzee, ligt het prachtige eiland Schiermonnikoog, goed voor een dag van zee en strand. Op het 'Hogeland'

165 (boven zeeniveau gelegen!) van Groningen zijn veel dorpen verbonden door smalle vaarten: vroeger belangrijk voor transport, nu ideale routes voor kano's en

170 kleine boten. De gezellige, oude universiteitsstad Groningen zorgt voor voldoende variatie. Vanuit de stad maakt u een uitstapje naar Drenthe, een gebied van zand-

175 gronden, bos, heide en oude brinkdorpen.

De volgende fietsdagen rijdt u door een afwisselend landschap terug naar Leeuwarden, begin- en

180 eindpunt van deze reis.

De route van dag tot dag (+ kilometers)

185 — line numbers in margin

za Leeuwarden, korte rondrit (15)
zo Leeuwarden – Dokkum (50)
185 **ma** Dokkum – Schiermonnikoog – Lauwersoog (40)
di Zoutkamp – Garnwerd (55)
wo Rondrit Groningen (40/60)
do Groningen – Stroobos (45)
190 **vr** Stroobos – Leeuwarden (50)
za Leeuwarden

Naar: *Bike & Boat Holidays 2002* – Cycletours Holland

Fietsvaarvakantie – 8 dagen

Prijs per persoon per categorie

	Economy	Standaard	Standaard plus
A (2 persoons cabine)	€ 455	€ 590	€ 645

Economy	eenvoudige cabine zonder eigen wc en douche, bedden boven elkaar
Standaard	eenvoudige cabine met eigen wc en douche, bedden boven elkaar
Standaard plus	ruimere cabines met eigen wc en douche, bedden boven elkaar

Naar: *Bike & Boat Holidays 2002* – Cycletours Holland

Vocabulaire

bekend (r. 59)
Amsterdam is een bekende stad. Iedereen heeft er wel eens van gehoord. (r.)
bereiken – bereikte – bereikt (r. 20)
Na zeven dagen fietsen bereiken we het eindpunt. Dan zijn we er.
eigen (r. 8)
Ik heb geen eigen auto maar ik mag de auto van mijn broer gebruiken.
ervaren – ervoer – ervaren (r. 29)
'Hoe vond je de fietstocht?' 'Ik heb hem als zwaar ervaren. Ik heb overal spierpijn.'

het gebied (r. 77)

In het gebied ten noorden van de stad gaan ze nieuwe woningen bouwen.

Op het gebied van statistiek weet ik niet veel. Ik begrijp niets van al die cijfers.

geschikt (r. 10)

Deze fietsroute is ook geschikt voor kinderen. We fietsen niet zo veel kilometers per dag.

de indruk (r. 32)

Helen lijkt mij heel aardig. Mijn eerste indruk was positief.

last hebben van (r. 14)

De radio van onze buren staat altijd heel hard. We vinden dat niet prettig, we hebben daar last van.

ontdekken - ontdekte - ontdekt (r. 8)

Ik heb gisteren een leuk winkeltje op de Vismarkt ontdekt. Ik kende het helemaal niet.

opmerken - merkte op - opgemerkt (r. 111)

'Heb je een nieuwe bril?' 'Ja, dat heb je goed opgemerkt. De meeste mensen zien het niet.'

de overeenkomst (r. 154)

Beide routes starten in Amsterdam. Dat is de enige overeenkomst maar verder zijn ze heel anders.

typisch (r. 71)

Saskia was haar afspraak weer vergeten. Dat is typisch Saskia, zij vergeet haar afspraken altijd.

verzorgen - verzorgde - verzorgd (r. 6)

Gaan we elke dag in een restaurant eten of verzorgt de reisorganisatie het eten?

voldoende (r. 172)

De reis gaat alleen door als er voldoende deelnemers zijn, dat wil zeggen minimaal twaalf.

vrijwel (r. 17)

Het heeft gisteren vrijwel de hele dag geregend. Het is bijna niet droog geweest.

Vocabulaire-oefeningen

1 Vervang de tweede zin door een andere zin. Gebruik in je zin een van de woorden uit de lijst.

Voorbeeld Deze fiets heb ik niet gehuurd.
Deze fiets is van mijzelf. = *Dit is mijn eigen fiets.*

1 Je moet ook eens haring eten.
Dat is echt heel Nederlands! = ______________________________

2 Heb je nog nooit van het Rijksmuseum gehoord?
Iedereen kent toch het Rijksmuseum! =
____

3 We kunnen hier wel ergens iets gaan drinken.
Er zijn genoeg cafés. = ______________________________

4 Amsterdam is voor toeristen belangrijk om te zien.
Bijna alle buitenlandse toeristen gaan minimaal één dag naar Amsterdam. = ______________________________

5 Was Tim ook op dat feest?
Die heb ik helemaal niet gezien! = ______________________________

6 Mag de radio uit?
Ik vind dat lawaai vervelend. = ______________________________

7 Rotterdam en Antwerpen werken vaak samen.
Veel dingen in Rotterdam zijn hetzelfde als in Antwerpen. =
____

8 Wat is er met je? Heb je problemen? Verdriet?
Als ik je zo zie, denk ik dat er iets is. =
____

9 Deze fiets is voor volwassenen.
Kinderen kunnen hem niet gebruiken. =
____

2 Vul een woord uit de lijst in. Denk aan de juiste vorm.

1 Je moet jezelf beter ________. Je haren zijn vet en je kleren zijn niet schoon.
2 Ik vond de opleiding erg zwaar. Heb jij dat ook zo ________ ?
3 Ik wil graag op vakantie naar een ________ met bossen, dat niet te ver van zee ligt.
4 Ze was al heel lang moe en ze wist niet waardoor. De specialist heeft ________ dat ze een bijzondere ziekte heeft.
5 We vertrekken met de auto naar Spanje. We vertrekken vanmiddag en we hopen dat we vanavond Parijs ________ .

Toepassingsoefening

Werk in tweetallen. Reageer met het woord tussen haakjes.

1 Mag het raam open? (last)
2 Zaten er nog fouten in de tekst? (ontdekken)
3 Hebben jullie met z'n allen een keuken in dat studentenhuis? (eigen)
4 Mijn moeder heeft haar been gebroken. (verzorgen)
5 Is dit genoeg informatie of hebt u nog vragen? (voldoende)
6 Wat dacht je van Nederland toen je daar voor het eerst over las? (indruk)
7 Wat voor onderzoek doe jij? (gebied)
8 Weet jij wanneer die opleiding start? (bekend)
9 Wil iemand nog iets zeggen over het huiswerk? (opmerken)
10 Heb jij Margaret nog gebeld? (bereiken)
11 Ik heb gehoord dat het voor Duitsers gemakkelijk is om Nederlands te leren. Hoe komt dat? (overeenkomst)
12 Weet jij wat 'oliebollen' zijn? (typisch)
13 Ik vond dat Esther heel arrogant deed. Vond jij dat ook? (ervaren)
14 Ben jij vaak verkouden? (vrijwel)
15 We zoeken een nieuwe secretaris voor onze club. Wat denk je van Martin? (geschikt)

Spreekopdracht

Je zoekt een vakantiepartner die op dezelfde manier vakantie wil houden als jij. Beslis eerst zelf:

- welke tocht wil je maken?
- in welke maand wil je die tocht maken?
- hoe luxe en duur wil je reizen: economy, standaard of standaard plus?

Ga nu op zoek naar iemand die dezelfde keuzes heeft gemaakt.

Motiveer in de groep je keuze.

Schrijfopdracht

Je doet mee aan een fietstocht van Cycletours.
Je schrijft een ansichtkaart naar vrienden. Op de kaart schrijf je over:

- de fietstocht die je maakt
- de mensen in je groep
- wat je van de fietsvakantie vindt
- het weer

CHARLOTTE MUTSAERS C19

Fear not my soul
ich bin bei dir

Published by Does te Amstelveen - © 2001 Charlotte Mutsaers
www.kinderzonvakanties.nl/media - E-mail: Fietsbbv@xs4all.nl

Vragen met modale werkwoorden

Mag ik die folder zien?
Kunnen jullie even wachten?
Wil je het museum bezoeken?
Moet ik een eigen fiets meenemen?
Ga je een lange fietstocht maken?

Indirecte vragen met modale werkwoorden

Ik heb gevraagd of ik die folder mag zien.
Ik heb gevraagd of jullie even kunnen wachten.
Ik heb gevraagd of ze het museum wil bezoeken.
Ik heb gevraagd of ik een eigen fiets moet meenemen.
Ik heb gevraagd of hij een lange fietstocht gaat maken.

Let op: Zij heeft gezegd dat ik mijn eigen fiets moet meenemen.
Zij heeft gezegd dat ik mijn eigen fiets *niet* hoef mee *te* nemen.
Zij heeft gezegd dat ik *geen* eigen fiets hoef *te* hebben.

Zullen

1 Voorstel
- Zullen we een fietstocht maken?
- Zal ik een Staatslot kopen?
- Zal ik vragen of hij u wil terugbellen?

2 Belofte
- Ik zal even voor u kijken.
- Wij zullen informatie over de fietstocht aanvragen.
- Ik zal zeggen dat u hebt gebeld.

3 Waarschijnlijkheid, vaak met het woordje 'wel'
- Ik zal *wel* geen prijs winnen.
- Na een hele dag fietsen zullen jullie *wel* zadelpijn hebben.
- Ze is er nu niet, ze zal *wel* pauze hebben.

4 Toekomst, niet voor eigen plannen maar voor formele situaties

- De show zal in februari op tv komen.
- Volgend jaar zal Cycletours nog meer fietstochten aanbieden.
- De trein uit Maastricht, aankomsttijd 20.15 uur, zal een vertraging van tien minuten hebben.

Vaak gebruikte zinnen

Ja, ja, dat zal wel.

- Weet je dat je voor € 1,- naar Engeland kunt vliegen?
- Ja, ja, dat zal wel. Daar geloof ik niets van.

Nou, zullen we (dan maar)?

- We moeten echt weg, want de trein vertrekt om 10.15 uur.
- Nou, zullen we dan maar? Ik ben klaar.

Oefening 4

Je bent samen met een vriend(in) bezig met de plannen voor een vakantie. Je overlegt samen en doet een aantal voorstellen. Maak een goede zin met *zullen*.

1 naar België gaan
2 naar zee gaan of naar een stad gaan
3 kamperen
4 hotel reserveren
5 informatie aanvragen
6 op internet kijken

Oefening 5

Je gaat nu samen op vakantie. Je moet je vriend(in) en je ouders nog wel een paar dingen beloven. Maak een goede zin met *zullen*.

1 mijn mobieltje meenemen
2 een adres achterlaten
3 niet te hard rijden
4 voorzichtig zijn
5 goed op onze spullen passen
6 twee keer per week bellen

Oefening 6
Je bent op vakantie en je geniet enorm. Maar er zijn een paar dingen ...
Maak de zinnen af. Gebruik daarbij *zullen* en de informatie tussen haakjes.

1 Ik heb mijn moeder nu al drie keer gebeld, maar ze neemt niet op.
  Maak je niet druk, ze ... (even weg zijn).
2 O jee, de benzine is bijna op.
  Er ... (een benzinestation komen).
3 Ik kan mijn fototoestel niet vinden.
  Dat ... (op onze hotelkamer liggen).
4 Het wordt vandaag geen strandweer. Kijk eens naar die donkere lucht!
  Ja, het ... (gaan regenen).
5 Denk je dat het museum op maandag open is?
  Nee, dat ... (gesloten zijn).
6 Kan ik de auto hier ergens parkeren?
  Je bent in het centrum, dus dat ... (moeilijk worden).

Spreekopdracht

Je hebt de folder van Cycletours gelezen. Je hebt interesse voor deze vakanties. Je belt met de organisatie, want je hebt nog wel een paar vragen.

Werk in drietallen. Bedenk drie vragen die je kunt stellen over deze vakanties. Elke vraag moet beginnen met een vorm van: *moeten, willen, mogen, kunnen, gaan.*

Je stelt deze vragen aan een ander uit je groepje. Deze persoon beantwoordt de vragen. De derde persoon herhaalt de vraag en het antwoord in de indirecte rede.

Persoon 1: Mag ik mijn hond meenemen?
Persoon 2: Nee, dat kan niet.
Persoon 3: Hij vraagt of hij zijn hond mag meenemen. Zij antwoordt dat dat niet kan.

Prepositie-oefening
Vul de juiste prepositie in. Controleer daarna je antwoorden. Noteer de combinaties die je fout had.

Paolo en Marta komen ___________ Italië. Ze wonen sinds een paar maanden ___________ Delft. Ze wonen ___________ een flat ___________ de rand ___________ het centrum. Ze wilden natuurlijk graag kennismaken ___________ hun nieuwe woonplaats. Daarom hebben ze een rondvaart gemaakt ___________ de grachten. Ze hebben niet alleen de stad zelf bekeken, maar ook het gebied ___________ de stad. Dat deden ze ___________ de fiets, of ___________ het openbaar vervoer. Ze zijn een keer ___________ de Noordzee gefietst, en een keer ___________ Dordrecht. Dat was wel ver! ___________ die fietstocht had Paolo last ___________ zijn billen. Zadelpijn, noem je dat.

Ik vind het een gek idee dat een deel van Nederland ___________ zeeniveau ligt. De dijken zorgen ___________ de veiligheid, maar toch ben ik bang ___________ een overstroming. Mijn vrienden zeggen dat ik niet bang hoef te zijn: Nederlanders zijn ooit begonnen ___________ grote waterprojecten, en ze zijn daarmee bekend ___________ de hele wereld.

Ben je wel eens ___________ de Waddeneilanden geweest? Het zijn mooie eilanden, ___________ noorden ___________ de Friese en de Groningse kust. Je kunt ___________ die eilanden per boot, vijf of zes keer ___________ dag. Je kunt daar prachtig wandelen, ___________ de duinen, of ___________ het strand. Je kunt ook een fiets huren, en ___________ eigen tempo lekker rustig het eiland bekijken. Je kunt prima ___________ vakantie gaan ___________ een van de eilanden.

Luisteropdracht: Pieterpad

- Weet je wat het Pieterpad is?

Bekijk het beeldfragment van twee mensen die het Pieterpad lopen.
Beantwoord de volgende vragen.

1 Waarom vindt Robert Nederland een ideaal vakantieland?
2 Waarom vindt Robert het niet prettig om aan het strand te liggen?

3 Robert en Ida gaan de foto's van Wenen thematisch inplakken. Welke thema's noemt zij?
4 Waarom vindt Robert het niet prettig om op vakantie te gaan?
5 Zijn ze wel of niet naar Sicilië gegaan?
6 Waar wil Ida heel graag naartoe?
7 Waarom is dat tot nu toe nog niet gebeurd?
8 Waarom gaat Ida niet alleen?

DVD Luisteropdracht

Wat weet de zanger van de wereld?
Wie denk je dat 'zij' is? In welke steden is zij geweest?

Liefs uit Londen

Van de wereld weet ik niets,
niets dan wat ik hoor en zie,
niets dan wat ik lees.
Ik ken geen andere landen,
zelfs al ben ik er geweest.

Grote steden ken ik niet,
behalve uit de boeken,
behalve van tv.
Ik ken geen andere stad
dan de stad waarin ik leef.

Zij stuurt me kaarten uit Madrid en
uit Moskou komt een brief
met de prachtigste verhalen – god,
wat is ze lief!
Gisteren uit Lissabon: ik mis je en
een zoen.
Vandaag uit Praag een kattebel,
want er is zoveel te doen.
En morgen als de postbode mijn
huis weer heeft gevonden
dan stort ze mijn hart vol, met alle
liefs uit Londen.

Van de wereld weet ik niets,
niets dan wat ik hoor en zie,
niets dan wat ik voel.
Ik leef van dag tot dag
zonder vrees en zonder doel.
Verre landen ken ik niet
behalve uit mijn atlas,
die droom ik elke nacht.
Maar ik droom alleen de landen
waar ze ooit aan me dacht.

Als een mooi groot geloof
aan de muur van mijn gedachten
hangt een wereldkaart te wachten
tot ze terugkomt.
Met haar reizen in mijn hoofd
steek ik vlaggen in de aarde,
dezelfde kleur, dezelfde waarde.

Zij stuurt me kaarten .....

Uitgevoerd door Bløf

REFLECTIE

Dit is het eind van een hoofdstuk. Denk erover na of je het volgende wel of niet kunt.

- ☐ Je kunt een zakelijke tekst voldoende begrijpen. Je kunt de betekenis van onbekende woorden raden.
- ☐ Je kunt overleggen met iemand, reageren op suggesties en aangeven wat je daarvan vindt.
- ☐ Je kunt de grammatica uit dit hoofdstuk toepassen: je kunt je uitdrukken in de indirecte rede, eventueel met gebruik van modale werkwoorden.
- ☐ Je kunt de essentiële informatie uit telefoongesprekken en ingesproken berichten halen.
- ☐ Je kunt telefoneren waarbij je de juiste telefoontermen gebruikt.
- ☐ Je kunt specifieke informatie opzoeken in langere teksten.
- ☐ Je kunt een kort verslag schrijven van een (denkbeeldige) reis.
- ☐ Je kunt de grote lijn uit een liedje halen.
- ☐ Je kunt de grote lijn uit een beeldfragment halen.

THEMA 3
Gevoelens

Je komt op een gemiddelde dag heel wat asociale mensen tegen. Ze roken waar het niet mag, ze blijven met negentig kilometer per uur op de linkerbaan rijden. En het wordt steeds erger.

Alledaagse ergernissen

Elke ochtend sta ik op de overdekte pont van Amsterdam-Noord naar het centrum van de hoofdstad. In het openbaar vervoer mag (5) je niet roken. Voor degenen die dat soms vergeten, hangen er overal stickers. En toch staat er dagelijks iemand rook in mijn gezicht te blazen. Hebben ze soms de bordjes (10) niet gezien? Uit een mini-onderzoek blijkt dat het ordinaire asocialen zijn. Van de zestien mensen die ik er vriendelijk op wees dat je hier niet mag roken, maakten er (15) twee hun sigaret uit en ging er eentje uit het raam hangen. De dertien overige reacties varieerden van 'Ik rook toch' en 'Iedereen doet het' tot het extreme: 'Ach wijf, (20) ga thuis je eigen man lastigvallen.'

Dit is slechts een van de vele dagelijkse ergernissen. Een paar voorbeelden van de afgelopen (25) week: bij een telefonische helpdesk hoorde ik vijftien minuten achter elkaar 'Blijft u aan de lijn, u wordt zo spoedig mogelijk geholpen.' Mensen die tegen mijn (30) hielen rijden met hun supermarktkarretje en geen 'sorry' zeggen. € 0,50 moeten betalen voor de wc van een grand-café, waar een biertje al € 2 kost.

(35) En ik ben niet de enige die zich dagelijks ontzettend ergert. De Amerikaanse psycholoog Rowland Miller vroeg proefpersonen om vier dagen lang al het (40) ergerlijk gedrag op te schrijven. Per persoon noemde men gemiddeld zeven incidenten per dag. Miller categoriseerde de gebeurtenissen, en vermenigvul(45)digde de frequentie van het incident met hoe irritant men die categorie over het algemeen vindt. De uitkomst is de 'impact factor'. Boven aan de lijst staat de catego(50)rie 'onbeleefdheid': de man die tegen zijn collega zegt dat haar haar veel leuker zou zitten als ze het zou laten knippen. Op twee staat 'egoïsme': de vrouw die (55) ongevraagd het televisiekanaal verandert terwijl haar man naar een film zit te kijken. Op de derde plaats staat 'gebrek aan manieren' – mensen die je niet bedanken (60) als je iets voor hen hebt gedaan – en op de vierde plaats staat 'controle over het lichaam' – mensen die een snotje uit hun neus halen en het opeten.

(65) De resultaten hebben Miller geshockeerd. Volgens hem ergeren →

we ons terecht zoveel, omdat de onbeschoftheid toeneemt: 'Mensen denken steeds minder aan ande-
70 ren.' Hij roept ons op deze onbeschaafdheid in het moderne leven niet zomaar te accepteren.

Of het inderdaad allemaal steeds erger wordt, is moeilijk te
75 meten. Veel mensen vinden echter van wel. In Nederland heeft 87 procent van de mensen het gevoel dat ons land steeds asocialer wordt. (Je kunt je wel afvragen wie
80 dan precies die asocialen zijn. Dat zal dan wel die overige dertien procent zijn.)

Naar: *Psychologie magazine*, januari 2002

Vragen bij de tekst
Beantwoord de volgende vragen.

1 Wat is de essentie van de eerste alinea? De essentie is
   a dat mensen niet kunnen lezen.
   b dat je dingen vriendelijk moet vragen.
   c dat mensen alleen aan zichzelf denken.

2 De 'impact factor' geeft aan hoe onbeleefd iets is.
   Dit is waar / niet waar.

3 In de tekst staan vier categorieën gedrag dat mensen irritant vinden.
   Welke vier?
   Welk voorbeeld geeft Miller bij deze categorieën?

4 Miller vindt het slecht dat mensen gewoon maar doen waar ze zin in hebben.
   Dit is waar / niet waar.

5 Uit de meting blijkt dat 13% van de mensen asociaal is.
   Dit is waar / niet waar.

Spreekopdracht

Aan welke dingen erger jij je het meest? Wat doe je in zo'n situatie?
Discussieer hierover met je medecursisten.

Vocabulaire

zich afvragen – vroeg af – afgevraagd (r. 79)

Ik vraag me af of ik geschikt ben voor dat beroep. Ik weet het niet.

degene (r. 5)

Wil degene die het laatst weggaat, het licht uitdoen?

het gebrek (r. 58)

1 Je kunt haar niet goed verstaan, ze heeft een spraakgebrek.
2 In veel arme landen is er een gebrek aan voedsel.

het gedrag (r. 40)

Paul praat altijd te hard, iedereen moet hem horen. Ik vind dat gedrag van hem erg irritant.

inderdaad (r. 73)

'Jij komt toch uit Nieuw-Zeeland?' 'Inderdaad, daar kom ik vandaan.'

de manier (r. 58)

1 Ik vind het belangrijk dat mijn kinderen manieren leren. Ze moeten bijvoorbeeld een hand geven aan volwassenen als ze die begroeten.
2 Er zijn verschillende manieren om te reageren. Je kunt telefonisch, schriftelijk of per e-mail reageren.

op deze manier

Waarom moet ik dat zo doen? Ik doe het op mijn manier.

slechts (r. 22)

We zijn slechts drie dagen in Parijs geweest. Veel te kort voor zo'n stad.

terecht (r. 67)

1 Het is terecht dat je kwaad bent. Zulk gedrag kan gewoon niet!
2 Ik was mijn portemonnee kwijt, maar hij is weer terecht. Hij zat niet in mijn tas maar in mijn jas.

toenemen – nam toe – is toegenomen (r. 68)

Het aantal cursisten in de zomer is sterk toegenomen. Er waren 80 cursisten meer.

uitmaken – maakte uit – uitgemaakt (r. 14)

1 Wil je je sigaret uitmaken? Je mag hier niet roken.
2 'Kom je bij mij of zal ik bij jou komen?' 'Het maakt mij niet uit. Zeg jij het maar.'
3 'Zal ik die cursus gaan volgen? Wat denk jij?' 'Dat moet je zelf uitmaken, dat kan ik niet voor jou beslissen.'

wel (r. 79)

'Ik ga wel naar mijn werk hoewel ik me ziek voel.' 'Is het dan wel een goed idee om te gaan?'

van wel (r. 76)

'Vind je deze cursus moelijker dan de eerste cursus?' 'Ik vind van wel.'

wijzen op – wees – gewezen (r. 13)

Ik wees haar op een paar internetsites die veel informatie over dat onderwerp hebben.

Vocabulaire-oefeningen

1 Vul een woord in dat een tegenstelling vormt.

1 Ik vond deze tekst niet moeilijk, maar zij __________ .

2 Het vandalisme door voetbalsupporters is afgelopen jaar __________. Ik hoop dat het volgend jaar weer minder wordt.

3 Ongeveer tien jaar geleden waren er te veel tandartsen, nu is er een __________ aan.

4 € 100,- voor een broek vind ik erg veel geld. Deze broek kostte __________ € 30,-.

2 Vul een woord in, dat ongeveer hetzelfde betekent.

1 Ik heb mijn agenda weer gevonden, hij is weer __________ .

2 Ik spreek __________ vijf andere talen. Dat klopt.

3 Wie heeft dat gezegd? __________ die dat heeft gezegd, heeft niet goed geluisterd.

4 Zo kan het ook, dat is ook een __________ .

5 Harry heeft verteld dat je daar niet mag parkeren. Hij heeft mij daarop __________ .

6 Er rijden geen bussen naar dat plaatsje. Ik __________ me __________ hoe ik daar moet komen.

7 Als mensen rook in je gezicht blazen, vind ik dat asociaal __________ .

8 Wie zegt of je vrij kan nemen? Wie __________ dat __________ ?

Toepassingsoefening
Werk in tweetallen. Reageer met het woord tussen haakjes.

1 Waarom rijden er niet meer treinen? (gebrek)
2 Ik hoorde dat Tatjana een zus van jou is. Klopt dat? (inderdaad)
3 Eet je liever spaghetti of rijst? (uitmaken)
4 Heb je gezien dat het gebouw volgende week 's avonds gesloten is? (wijzen op)
5 Weet je wie die man is? Is dat soms de nieuwe directeur? (zich afvragen)
6 Hoe eindig ik een formele brief? (manier)
7 Kun je aan die universiteit ook Spaans studeren? (wel)
8 Heb je je fiets weer gevonden? (terecht)
9 Bijt je hond nog steeds je schoenen kapot? (gedrag)
10 Is het aantal verkochte dvd's hetzelfde gebleven als vorig jaar? (toenemen)

Spreekopdracht

Wat zeg je in de volgende situaties?

1 Je staat in de rij voor de kassa. Opeens gaat er een mevrouw voor je staan en legt haar spullen op de band.

2 Je zit in de trein. Naast je zit een jongen met een walkman op. Hij zit ook steeds te bellen. Als hij aan het bellen is, legt hij de koptelefoon van de walkman op het tafeltje, maar hij zet de muziek niet uit.

3 Je zit een toets te maken. Een medecursist zit met zijn/haar pen op de tafel te tikken.

4 Je hebt een afspraak voor je werk, om 16.00 uur. Je moet je heel erg haasten, maar het lukt: je bent op tijd. De ander is er niet. Na een half uur wachten bel je hem en hij zegt: 'O ja, die afspraak. Kunnen we die naar een andere dag verzetten?'

5 De zoon van de buren houdt van voetbal en traint graag. De hele dag (al weken) hoor je hem de bal tegen de muur schieten – bonk, bonk, bonk.

Je hebt een toets en je moet studeren. Je kunt je niet concentreren met dat gebonk.

6 Je hebt een lastig formulier van de gemeente. Er staat dat je hulp kunt krijgen bij het invullen als je een bepaald telefoonnummer belt. Je belt dat nummer, maar je krijgt elke keer een in-gesprek-toon. Na drie dagen bellen krijg je eindelijk contact.

(Te) + infinitief

In het vorige hoofdstuk heb je gezien dat na *mogen, willen, kunnen, moeten, zullen* en *gaan* een infinitief komt.

mogen	In het openbaar vervoer mag je niet <u>roken</u>.
moeten	We moeten € 0,50 voor de wc <u>betalen</u>.
kunnen	Kun je niet <u>lezen</u>?
willen	Wilt u even <u>wachten</u>?
zullen/	
laten	Je haar zou leuker <u>zitten</u>, als je het liet <u>knippen</u>.
gaan	Ga thuis je eigen man <u>lastigvallen</u>.
blijven	Ze blijven op de linkerbaan <u>rijden</u>.
komen	Hij kwam heel dicht bij me <u>zitten</u>.

Ook na *laten, blijven* en *komen* komt een infinitief. Na andere werkwoorden komt *te* + infinitief:

1 Hij vraagt ons dat niet te <u>accepteren</u>.
Durf 'nee' te <u>zeggen</u>.
Ik probeer rustig te <u>blijven</u>.
Je hoeft dat niet te <u>accepteren</u>.

2 Haar man zit naar een film te <u>kijken</u>.
Dagelijks staat er iemand rook in mijn gezicht te <u>blazen</u>.
Mensen lopen de hele tijd te <u>telefoneren</u>.
Ze ligt een boek te <u>lezen</u>.

Bij deze laatste werkwoorden doe je twee dingen tegelijk: hij zit en hij kijkt naar een film. Mensen lopen en mensen telefoneren. Je kunt dan ook zeggen: Ze zijn aan het <u>telefoneren</u>.

Oefening 1

Maak de zinnen compleet. Gebruik de werkwoorden die in de kantlijn staan. Moet je wel of geen *te* gebruiken?
Gebruik de juiste vorm van het werkwoord en plaats de woorden op de juiste positie!

Lieve Leila,
Vandaag heb ik me ontzettend geërgerd. Ik ging met de boot naar Texel.

zitten - lezen	Ik op de boot de krant. (*Ik zat op de boot de krant te lezen.*)
mogen - roken	Daar je niet.
willen - weten	Maar mensen dat niet.
staan - roken	Twee mensen een sigaret.
	Ze bliezen de rook in mijn gezicht. Wat asociaal! Ik kan daar niet tegen.
proberen - blijven	Ik rustig, maar dat lukte niet goed.
zullen - zeggen	Ik er iets van?
laten - houden	'Nee, ik mijn mond maar', dacht ik.
besluiten - zoeken	Ik een andere plaats.
gaan - zitten	Op die plaats een man naast mij.
beginnen - bellen	Hij pakte zijn mobieltje en hij.
blijven - praten	Hij de hele tijd.
zitten - vertellen	Hij allerlei privé-zaken.
kunnen - doen	Mensen dat niet thuis?
	Dat doe je toch niet in het openbaar?
	Gelukkig was de boot aan de overkant gekomen.
	Hoe is het verder met jou? Gaat alles goed?
hopen - horen	Ik gauw iets van jou.

Liefs, Amina

Spreekopdracht

Wat doen zij?

Maak zinnen met: ... zijn aan het ...
... staan te ...
... zitten te ...
... lopen te ...
... liggen te ...
enzovoort.

Spreekopdracht

Hoe voel jij je vandaag?
Welk gevoel past bij welk gezicht?
Je kunt kiezen uit:
verrast / blij / bang / zenuwachtig / opgelucht / boos / teleurgesteld

■ Je gevoelens uiten

Verrast
O, wat leuk!
Wat een verrassing!

Blij
Ik ben zo blij dat het gelukt is.
Wat leuk dat je dat voor me wil doen.
Wat fijn dat je een ander huis hebt gevonden.

Bang
Ik ben bang voor conflicten.
Ik durf niet te kijken.

Zenuwachtig
Ik ben zo zenuwachtig.
Ik ben zo nerveus.
Ik ben heel gespannen.
Het is heel spannend.

Opgelucht
Hè, gelukkig!
Eindelijk, daar is hij.
Het viel best mee.

Boos
Ik ben boos op mijn vriendin.
Ik ben boos om die brief.
Ik ben kwaad.
Voel je je wel goed?!
Wat denk je wel?!
Dit pik ik niet!

Teleurgesteld
Ik ben heel teleurgesteld.
Dat valt me tegen.
Het valt me tegen dat hij tegen ons gelogen heeft.

Gevoelens van anderen delen
Ik kan me goed voorstellen dat je boos / opgelucht / bang bent.
Je bent teleurgesteld, hè? Dat kan ik me goed voorstellen.
Wat vervelend / rot voor je!
Wat fijn / leuk voor je!
Hou je taai!
Sterkte!

Spreekopdrachten

A Lees deze situaties. Hoe voel je je? Hoe kun je dat gevoel uiten?

1 Ik ben alleen thuis. Het is elf uur in de avond. Ik hoor iemand op het raam tikken. Als ik ga kijken, hoor ik dat er iemand snel wegrent.

2 Ik heb morgen een belangrijke test. Ik heb goed gestudeerd, maar de test is erg moeilijk. Ik hoop dat het goed gaat! Het is erg belangrijk voor me!
3 Er zijn al twee fietsen van mij gestolen. Ik heb weer een fiets gekocht, en ik zet hem op slot met drie sloten. Maar als ik uit de bioscoop kom, is mijn fiets weg!
4 Ik voelde me al een tijdje niet zo lekker. De dokter dacht dat ik misschien een ernstige ziekte had. Hij heeft een bloedonderzoek laten doen. Ik krijg de uitslag: er is niets ernstigs.
5 Ik ben jarig. 's Avonds gaat de bel, en wie staat er voor de deur? Een vriendin die in Australië woont!
6 Ik ben op zoek naar een nieuwe baan. Ik heb een gesprek gehad bij een bedrijf. Het gesprek ging heel goed. Ik denk dat ik veel kans heb om deze baan te krijgen. Dan belt er iemand van het bedrijf. Ze geven de baan aan iemand anders.
7 Wat duurde de winter lang! En in het voorjaar regende het steeds. Bah! En dan, op een dag in maart, is daar de zon weer! De mensen zitten al op terrasjes! Alles lijkt mooier en lichter. Zingend loop ik door de stad.

B Vertel aan de anderen een situatie waarin je een van deze gevoelens had.

C Reageer met een versterkend antwoord

Bijvoorbeeld:	Is hij boos?	Nou en of!
	Baal je?	Ja, heel erg.
	Was de film goed?	Ja, hartstikke goed!
	Is het mooi?	Ontzettend mooi!
	Was het spannend?	Vreselijk spannend!
	Duurde het lang?	Verschrikkelijk lang!

Reageer:

Was het leuk?
Is zo'n concert duur?
Ben je blij?
Is zij boos?
Is je kamer groot?
Ben je jaloers?
Is dit kastje oud?
Was het eten lekker?
Is het boek moeilijk?

Was het gezellig op het feest?
Ben je verliefd?
Gaat de cursus snel?
Praat hij duidelijk?
Ben je zenuwachtig voor het examen?
Was je vorige week ziek?
Zijn de mensen daar vriendelijk?
Ben je trots op het resultaat?

Schrijfopdracht

Jeannette Dekker is boos over de inschrijvingsprocedure. Ze heeft de volgende brief geschreven.

Jeannette Dekker
Van Goghplein 4
9911 AC Zuidwende

Hogeschool Noorddam
Inschrijvingsbureau
Postbus 30 000
9966 AB Noorddam

Zuidwende, 28 februari 2004

Betreft: inschrijving Europese geschiedenis

Geachte heer/mevrouw,

Mijn naam is Jeannette Dekker en ik studeer Engels. Ik ben nu vierdejaars student. Voor mijn tweede studiejaar moet ik het vak Europese geschiedenis nog doen. Ik wilde me daarom inschrijven voor dit vak. Volgens de studiegids begon de inschrijving op 27 februari, en ik ben op die datum meteen naar het inschrijvingsbureau gegaan. Daar zag ik dat de groepen voor dit vak al vol waren! Dat betekent dat andere studenten zich eerder hebben ingeschreven, maar ik wist niet dat dat kon. Het is volgens mij niet eerlijk dat er al studenten worden ingeschreven voordat de inschrijving officieel open is. Ik mis nu een mogelijkheid om dit vak te volgen. Hierdoor kan ik dit jaar mijn studie niet afronden.
Daarom vraag ik u of het mogelijk is dat ik toch nog een plaats krijg in een van de groepen voor Europese geschiedenis.

Ik hoop gauw een reactie van u te krijgen.

Met vriendelijke groet,

Jeannette Dekker

- Schrijf nu zelf een brief met een klacht. Hieronder staan een paar suggesties. Gebruik het schema.

Aan wie: reisbureau Suntravel
Klacht: luchthavenbelasting (€ 35,–) stond niet in de folder

Aan wie: de bioscoop
Klacht: geluid bij de film was slecht

(Naam)
(Adres)
(Postcode Plaatsnaam)

Instelling ...
Afdeling ...
Postbus ...
(Postcode plaatsnaam)

(Plaats, datum)

Betreft: (onderwerp van de brief)

Geachte heer/mevrouw,

(inhoud van de brief)

(afsluitingsformule)

Met vriendelijke groet, / Hoogachtend,

(handtekening)
(naam)

Durf 0 JA
0 NEE te zeggen!

Nee. Waarom is het zo moeilijk om dit woord te zeggen? Want vaak zeggen we 'ja' omdat we niet onaardig willen zijn. Maar als je niet leert om voor jezelf te kiezen, word je daar niet gelukkiger van. Als je een beetje oefent, dan is 'nee' zeggen echt niet zo moeilijk als het lijkt.

5 Renske Timmers-Romers: 'Ik stopte ontzettend veel energie in mensen die uiteindelijk niets voor mij deden. Ik deed veel te vaak dingen die ik eigenlijk niet wilde. Ik
10 ging kamers behangen terwijl ik er geen zin in had, ik paste op kinderen van anderen, ik ging extra vaak langs bij mijn zieke vader, ik deed boodschappen voor een
15 ander, ik organiseerde activiteiten op school ... Ik deed het allemaal wel.'

Het verhaal van Renske zal veel mensen bekend voorkomen. Wat is
20 het soms moeilijk om negatief te antwoorden op een vraag, zeker als we voor ons gevoel geen goede reden hebben! Hoe vaak doen we iets tegen onze zin? Maar
25 de gevolgen kunnen ernstig zijn, zo blijkt uit het vervolg van Renskes verhaal.

'Ik kreeg een burn-out. Van mijn
30 omgeving kreeg ik leuke kaarten en vooral veel goede raad. Maar waar bleven mijn collega's en mijn familieleden? Dat was de reden voor mij om eens te kijken hoeveel
35 energie ik overal in stak. En wat kreeg ik ervoor terug? Weinig dus. Voor mij was dit een confronterende periode en een periode waarin ik leerde om grenzen te stellen. En
40 nu? Het is niet altijd makkelijk maar ik ben er wel alert op dat het allemaal niet weer te veel wordt. Daarom blijf ik oefenen op het aangeven van mijn grenzen en zeg
45 ik soms gewoon 'nee'. En dat bevalt best goed.'

'Nee' lijkt een gemakkelijk woord, maar het is moeilijk uit te spre-
50 ken', erkent Joek Vader. Zij geeft de communicatietraining *Beter omgaan met jezelf en met anderen*. Deze is gebaseerd op de ideeën van de Amerikaanse psycholoog
55 Thomas Gordon. Communicatie draait om openheid, duidelijkheid, directheid en eerlijkheid. Ook 'nee' zeggen speelt een belangrijke rol. Vooral vrouwen hebben de nei-
60 ging om iets voor een ander te doen terwijl ze eigenlijk geen zin hebben. 'Vrouwen willen het anderen vaker naar de zin maken. Van een man worden andere dingen
65 verwacht: hij moet vooral stoer en sterk zijn, hoewel dat aan het veranderen is. Wat ook meespeelt, is

de angst om afgewezen te worden en de angst dat die ander er niet voor jou is, als jij hem nodig hebt.'

Daarom stemmen we vaak toe. Ergens tegenin gaan, vaak in de vorm van klagen, gebeurt wel, maar nauwelijks tegen de persoon zelf. 'Dat is niet alleen oneerlijk tegenover die ander, maar vooral tegenover jezelf: je komt niet op voor je eigen belangen. Het is belangrijk dat je je afvraagt of je iets echt wilt of niet. Waarom zou je geen rekening mogen houden met je eigen behoeften? Assertief is niet hetzelfde als agressief. Je mag voor jezelf opkomen', vindt Joek Vader.

Marije: 'Laatst belde een oud-collega op. Ze vroeg of ik zin had om op haar verjaardag te komen. Nee dus. Ik heb een nieuwe baan die me al genoeg energie kost. Vrienden heb ik voldoende. Waarom zou ik energie steken in de mensen van mijn vorige werk? Voor mij was het duidelijk: ik ga niet. Maar ik kon haar dat toch niet zomaar zeggen? Ik heb nu een andere afspraak verzonnen op die dag. Dat voelt niet echt goed. Bovendien is het probleem niet opgelost. Aan de telefoon zei ze al: 'Geeft niets, volgende keer beter!''

Het geeft een enorm gevoel van rust om ook eens NEE te kunnen zeggen

Volgens Joek Vader is het niet alleen belangrijk om 'ja' of 'nee' te zeggen, maar ook om dat antwoord uit te leggen. Het is assertiever als je er een reden bij geeft. Ik leer mensen open en eerlijk te zijn. Bovendien toon je dan respect voor een ander. Het hoeft natuurlijk niet, maar als je alleen 'nee' zegt dan kun je een vervolgvraag verwachten. Het is dus effectiever om het direct uit te leggen.'

Willemien Gerards: 'Ook ik had jaren moeite met 'nee' zeggen, maar het laatste jaar lukt het me vrij goed. Mensen waarderen het niet altijd, maar het geeft je een enorm gevoel van rust om ook eens 'nee' te zeggen. Dit had ik jaren terug moeten leren! Als mensen het van je accepteren, leren ze

© Peter de Wit

130 je van een andere kant kennen.'
Joek Vader geeft ook een waarschuwing. 'Relaties veranderen als u vaker 'nee' zegt. Maar wat wilt u: een onechte relatie of een
135 echte relatie met duidelijkheid voor die ander? Als je niet de waarheid vertelt, doet u iemand misschien wel meer pijn dan wanneer u eerlijk bent. Natuurlijk moe-
140 ten we niet veranderen in egoïsten. We leven niet op een eiland. We moeten rekening houden met de wensen en behoeften van anderen. Het is niet zo dat we
145 altijd 'nee' moeten zeggen. Zorg voor een ander is oké, als u het maar niet overdrijft. 'Nee' zeggen kan helpen om de relatie goed te houden.'

Naar: *Libelle* 16 (12-19 april) 2002

Vragen bij de tekst
Kies het juiste antwoord.

1 Over welke periode praat Renske in het eerste deel? (regels 5-17)
  a Toen ze een burn-out had.
  b Nadat ze de burn-out had gehad.
  c Voordat ze een burn-out kreeg.

2 Joek Vader vertelt over haar training. Welke personen vinden het meestal het moeilijkst om 'nee' te zeggen?
  a Mensen die veel klagen.
  b Vrouwen.
  c Mannen.

3 Waarom is Marije niet tevreden over haar reactie op de uitnodiging van haar oud-collega?
  a Ze was niet duidelijk.
  b Ze heeft nu ruzie met haar.
  c Ze wilde graag contact houden met haar.

4 Wat zegt Joek Vader in het laatste stukje over echte relaties?
  a Het beste is om eerlijk te zijn.
  b Het beste is om altijd voor jezelf te kiezen.
  c Het beste is om te kijken wat de ander nodig heeft.

Vocabulaire

de behoefte (r. 82)

In dat land zijn te weinig artsen. Er is een grote behoefte aan medisch personeel.

het belang (r. 78)

Het is ook in het belang van het bedrijf dat de werknemers gezond zijn.

belang hebben bij

Het bedrijf heeft geen belang bij zieke werknemers. Dat is niet prettig voor het bedrijf.

bevallen – beviel – is bevallen (r. 46)

1 Mijn vorige auto reed niet goed. Ik heb een andere gekocht. Deze auto bevalt me beter.
2 Veel Nederlandse vrouwen bevallen in het ziekenhuis, maar er worden ook veel baby's thuis geboren.

durven – durfde – gedurfd (titel)

Ik durf niet in de stad te fietsen. Ik ben bang dat ik tegen een auto rijd, of dat ik val.

het gevolg (r. 25)

Dit conflict is een gevolg van verkeerde communicatie.

klagen – klaagde – geklaagd (r. 73)

Veel mensen klagen dat ze geen tijd hebben voor hobby's. Dat vinden ze vervelend.

de moeite

Ik breng je wel even naar het station. Dat is een kleine moeite.

moeite hebben met (r. 122)

Ik heb moeite met de uitspraak van de klank 'sch'. Het lukt niet goed, alleen als ik erg mijn best doe.

nauwelijks (r. 74)

Ik spreek nauwelijks Portugees. Ik kan alleen 'hallo' zeggen, en tot tien tellen.

omgaan met – ging om – omgegaan (r. 51)

Voor deze baan krijg je eerst een psychologische test. We willen weten hoe je omgaat met conflicten.

oplossen – loste op – opgelost (r. 101)

Er waren niet genoeg computers voor de studenten van onze opleiding. Dat probleem is nu opgelost, omdat er 20 computers bij zijn gekomen.

de reden (r. 23)

Arts, dat lijkt me een mooi beroep. Om die reden ben ik met deze studie begonnen.

rekening houden met – hield – gehouden (r. 81)

Deze arts houdt rekening met patiënten die werken. Hij heeft ook 's avonds spreekuur.

een rol spelen – speelde – gespeeld (r. 58)

Hoe kies je een vakantiereis? Je kijkt naar de volgende dingen: wil je een actieve vakantie? In de zon? Met een groep of alleen? En natuurlijk speelt geld ook een rol.

uiteindelijk (r. 7)

We hebben heel lang nagedacht over een cadeau voor Francisco. Uiteindelijk hebben we een cd gekocht.

verwachten – verwachtte – verwacht (r. 65)

1 Lilian is zwanger. Ze verwacht haar baby in de eerste helft van april.
2 Ik ga naar Londen verhuizen. Ik verwacht dat ik daar meer kans heb om een baan te vinden.

vóórkomen – kwam voor – is voorgekomen (r. 19)

Mijn gezicht is Aziatisch. Het komt vaak voor dat mensen denken dat ik uit Japan kom.

voorkómen – voorkwam – heeft voorkomen

De politie start een nieuwe cursus: Hoe voorkom ik diefstal van mijn fiets?

Vocabulaire-oefeningen

1 Vervang de tweede zin door een andere zin. Gebruik in je zin een van de woorden uit de lijst.

1 Ik heb de indruk dat je heel moe bent.
Je hebt vakantie nodig. = ____________________
2 Marcia heeft last van haar rug en haar nek.
Dat komt door een auto-ongeluk. = ____________________
3 Ik ben geen ochtendmens.
Ik kan niet gemakkelijk uit bed komen. = ____________________
4 Ronald stopt met de cursus want hij heeft ander werk gevonden.
Daarom is dat. = ____________________

5 Op vrijdagmiddag is het erg druk op de weg.
Je moet eraan denken dat er files kunnen zijn. = ______________
6 Sommige mensen leren snel een taal, andere niet zo snel.
Je leeftijd kan ook een factor zijn. = ______________
7 We hebben lang nagedacht over een naam voor onze hond.
Ten slotte hebben we de naam Rex gekozen. = ______________
8 Daniel kijkt niet naar wensen van andere mensen.
Hij denkt alleen aan wat hij zelf nodig heeft. = ______________
9 Christien heeft een drukke baan.
Ze heeft bijna geen tijd voor zichzelf. = ______________

2 Vul een werkwoord in.

Ik woon in een leuk huis, en de buurt__________ me goed. Maar ik heb een probleem dat je misschien bekend__________: hondenpoep op de stoep! Van de hond van de buren! Ik wil gaan __________ bij de buren, maar dat __________ ik niet. Ik __________ dat ze dan boos op me worden. Dat wil ik niet. Ik wil geen ruzie. Ik wil normaal __________ met de buren. Hoe kan ik dit probleem__________? Wie heeft een goed advies?

Toepassingsoefening
Werk in tweetallen. Reageer met het woord tussen haakjes.

1 Je spreekt in een winkel Nederlands en de ander antwoordt in het Engels. Herken je dat? (voorkomen)
2 Waarom slik je zo veel vitamine-C-tabletten? (voorkomen)
3 Noem eens iets typisch Nederlands. (nauwelijks)
4 Waarom spreken veel buitenlanders Engels, bijvoorbeeld op de markt, en geen Nederlands? (durven)
5 Je bent zo vaak alleen thuis. Waarom neem je geen hond? (behoefte)
6 Dat is een lastige puzzel! Kun je mij helpen? (oplossen)
7 Je bent niet meer tevreden met deze baan. Is het salaris te laag? (een rol spelen)
8 We hebben heel lang nagedacht over beide methodes. (uiteindelijk)
9 John kan niet goed lopen. Hoe komt dat? (gevolg)
10 Waarom wil de universiteit dat er meer buitenlandse studenten komen? (belang)
11 Waarom gaat Claudia in Griekenland wonen? (reden)
12 Hoe vind je het hier? (bevallen)

13 Welk deel van de cursus vind jij moeilijk? (moeite)
14 Waarom zet je de muziek niet wat harder? (rekening houden met)
15 Wat voor weer wordt het morgen? (verwachten)
16 Heb jij veel contact met je buren? (omgaan met)
17 Wat kun je doen als je te veel huiswerk krijgt? (klagen)

Hoe goed kunt u nee zeggen? Doe de test!

1 U was van plan uw vrije dag ontspannen door te brengen: uitslapen, wandelen, eindelijk dat boek uitlezen... Maar de avond tevoren vraagt een vriendin of u de volgende dag op haar kinderen wilt passen. Wat doet u?
   a Ik zeg dat het me spijt, maar dat ik al een afspraak heb.
   b Ik verzeker haar dat het geen probleem is: ze weet toch dat ik haar altijd wil helpen?
   c Ik vertel dat ik andere plannen heb, volgende keer beter.

2 Een vriend vraag of u zijn nieuwe huis wilt helpen schilderen. Maar u hebt een enorme hekel aan schilderen. Aan de andere kant: deze vriend heeft u vorig jaar helpen verhuizen.
   a Ik zeg eerlijk dat ik geen zin heb in schilderen, maar ik bied aan hem zo nodig op een ander terrein te helpen, bijvoorbeeld met schoonmaken.
   b Ik zeg dat ik een verfallergie heb.
   c Ik zeg niets en ga schilderen.

3 U heeft een nieuw kookboek met prachtige foto's. Een vriendin vraagt of ze het mag lenen. Maar ze is nogal slordig en u bent bang dat ze het vol vlekken terugbrengt.
   a Ik leen het boek niet uit.
   b Ik zeg dat ze het wel kan lenen, maar alleen als ze het tijdens het koken op een veilig plekje neerzet en geen vlekken maakt.
   c Ik geef het mee en hoop dat het boek niet vies wordt.

4 Een maand geleden hebt u met een vriend een afspraak gemaakt om samen naar de film te gaan. Nu, op de dag van de afspraak, bent u vreselijk moe. Als u uw vriend belt om af te zeggen, reageert deze heel teleurgesteld.

a Ik vertel hem dat hij eraan moet denken dat ik een drukke baan heb, dat ik niet altijd alleen maar tijd voor leuke dingen heb.
b Ik verzin dat ik me al een paar dagen grieperig voel.
c Ik zeg hem dat ik erg moe ben, en dat ik liever een nieuwe afspraak maak. Dan ben ik goed uitgerust als we gaan eten, en dat is veel leuker voor ons allebei.

5 U bent jarig en u hebt dit jaar geen zin om een feest te geven. U wilt met uw partner uit eten, en verder niets. Een week voor uw verjaardag zeggen goede vrienden dat ze die avond wel even iets komen drinken.
a Ik vind het echt vervelend om te zeggen dat zij die avond niet welkom zijn.
b Ik vertel enthousiast over het restaurant waar we die avond gaan eten, en zeg nog een keer duidelijk dat ik het fijn vind om die avond alleen met mijn partner te zijn.
c Ik zeg nog een keer dat ik ervoor gekozen heb mijn verjaardag dit jaar niet te vieren, en dat dat misschien jammer is voor hen, maar ik blijf bij mijn keuze.

6 De telefoon gaat, het blijkt een telefonisch enquêteur te zijn. En dat terwijl u midden in een spannende film zit.
a Ik gooi de hoorn erop.
b Ik beantwoord de vragen terwijl ik de film probeer te volgen.
c Ik zeg dat het telefoontje niet uitkomt.

7 Na een drukke tijd is eindelijk uw werk weer op orde. Maar dan komt uw baas met een opdracht die eigenlijk te veel is voor u. Wat doet u?
a Ik laat weten dat ik aan mijn gewone taken al genoeg heb en dat ik op dit moment geen extra werk kan doen.
b Ik accepteer het werk, maar tegen collega's mopper ik over dit extra werk.
c Mijn baas kan op mij rekenen: ik doe wat mijn baas vraagt.

8 Een vriendin van vroeger belt na jaren op. Ze vraagt of u eens langskomt. Maar eigenlijk hebt u geen tijd en energie voor deze hernieuwde vriendschap. U hebt nauwelijks tijd voor de vrienden die u nu al hebt.

a Ik zeg dat ik het leuk vind om van haar te horen, maar dat ik onvoldoende tijd en energie heb om oude vriendschappen nieuw leven in te blazen.
b Ik zeg haar dat ze niet kan eisen dat ik energie stop in deze vriendschap van vroeger.
c Ik vraag haar later terug te bellen omdat ik toch eerst even in mijn agenda moet kijken.

Uitslag

1	A 10	B 0	C 5	5	A 0	B 5	C 10
2	A 10	B 5	C 0	6	A 10	B 0	C 5
3	A 10	B 5	C 0	7	A 5	B 10	C 0
4	A 10	B 0	C 5	8	A 5	B 10	C 0

Minder dan 30 punten
U zou echt meer voor uzelf moeten opkomen. Beslis voor uzelf wat u wel en niet belangrijk vindt, met andere woorden: waar u tijd en energie in wilt steken en waarin niet. Waar bent u bang voor? Dat andere mensen u niet meer aardig vinden? Dat ze u laten vallen? U zult zien dat mensen uw keuzes best respecteren en misschien in de toekomst zelfs meer stil gaan staan bij uw wensen. U wordt iemand om rekening mee te houden. Maak uzelf tot speler in het leven, in plaats van speelbal van anderen.

30 – 50 punten
U bent eerlijk en recht door zee, maar op een tactvolle manier. Familie en vrienden weten wat ze aan u hebben. Wanneer ze van u een 'ja' krijgen, weten ze dat u het meent. En als u geen zin, tijd of energie heeft, horen ze dat ook van u. En dat waarderen ze.

Meer dan 50 punten
U weet wel wat u belangrijk vindt, maar durft daar niet openlijk over te spreken. Resultaat is dat u zich wel boos maakt, maar dat degene die het verzoek doet het niet hoort of begrijpt. Wanneer u op een rustige manier duidelijk kunt maken dat iets u niet uitkomt, krijgt u meer begrip dan door te mopperen. Daarmee irriteert u anderen. Erger nog is alleen achter iemands rug om te klagen. Dan komt er helemaal geen boodschap aan! Hoogstens bij de mensen die een luisterend oor bieden. Zij gaan hierdoor misschien denken dat u altijd moppert achter de rug van anderen, wat ook weinig vertrouwen geeft.

Spreek- en schrijfopdrachten

1 Je ziet hier nog twee situaties als in de test. Er staan ook drie antwoordmogelijkheden bij. Geef punten (0, 5 of 10) aan de antwoorden.

   1 U denkt er al lang over eens wat meer te gaan sporten. Een vriendin van u weet dat. Ze belt u op en vertelt u over een nieuwe sportschool bij u in de buurt. Ze vertelt u dat ze u heeft ingeschreven voor een verrassingscursus: acht avonden met verschillende sporten, zodat u na die cursus weet welke sport bij u past. Hoe reageert u?

      a U zegt dat het jammer is, maar net op die avond volgt u een cursus Nederlands (wat niet zo is).
      b U zegt dat het heel aardig is van haar, maar dat u liever zelf bepaalt wanneer u begint met sporten. Ze moet het 'cadeau' dus maar terugbrengen naar de sportschool.
      c U zegt dat u wel ziet of u tijd heeft om gebruik te maken van dit cadeau maar dat het een leuk idee is. En u weet nu al: u hebt geen zin om naar die sportschool te gaan.

   2 U hebt op advies van vrienden een film gezien, die u niet begreep. Ook de muziek en de beelden vond u niet mooi. Iedereen in uw omgeving is enthousiast over deze film. Een vriendin van u zegt: 'Nou, wat een geweldige film hè! De beste in jaren!' Hoe reageert u?

      a U zegt dat u de film goed vond. Wat geeft het dat u liegt? Zij is zo enthousiast. U kwetst haar als u de waarheid zegt.
      b U zegt dat u de film niet helemaal begreep, en dat u daarom niet kan zeggen wat u er precies van vond.
      c U zegt dat u het een slechte film vond. Blijkbaar hebt u een andere smaak wat films betreft.

2 Bedenk nog een situatie zoals in de test. Bedenk ook mogelijke reacties.

3 Schrijf een kort verhaal over een situatie waarin je 'nee' hebt gezegd. Het mag echt gebeurd zijn, het mag verzonnen zijn. In je verhaal moet de volgende zin staan: *En toen heb ik luid en duidelijk 'nee' gezegd.*

Om – te + infinitief

Je gebruikt de constructie *om – te* + infinitief:

1 voor een doel:

Ik heb een afspraak gemaakt om samen naar de film te gaan.
Ik bel mijn vriend om de afspraak af te zeggen.

2 om extra informatie te geven over een adjectief of substantief:

Waarom is het zo *moeilijk* om dit woord te zeggen?
Ik vind het *vervelend* om te zeggen dat ze niet welkom zijn.
Ik vind het *fijn* om samen met mijn partner te zijn.

Ik heb niet genoeg *tijd* om met oude vrienden leuke dingen te doen.
Ik heb geen *zin* om een feest te geven.
Het is een moeilijk *woord* om uit te spreken.

Oefening 2

Maak de zinnen af en gebruik een constructie met *om – te* + infinitief

1 Ik wil deze baan graag hebben ...
2 Ik heb een computer gekocht ...
3 Zij doet die test ...
4 Hij vindt het vervelend ...
5 Ik heb geen tijd ...
6 Hij belt naar huis ...
7 Wij doen deze cursus ...
8 Ik heb het afgelopen jaar geleerd ...
9 Het geeft mij een goed gevoel ...
10 Het kost me veel moeite ...

Oefening 3

Maak de zinnen compleet. Gebruik:

- een infinitief
- *te* + infinitief
- *om* - *te* + infinitief

1 Ik kijk uit het raam en ik zie op straat twee vrouwen. Ze staan ...
2 • Wat ga je in de vakantie doen?
• Ik wil in elk geval ...
3 Ik ben doodsbang voor spinnen. Ik durf ...
4 Luister goed. Jullie moeten ...
5 Ik vind het lastig ...
6 • Zal ik je met de auto naar huis brengen?
• Ja, graag. Ik vind het vervelend ...
7 Waarom heeft Laurens dat niet gedaan? Hij had beloofd ...
8 Wil je me even niet storen? Ik zit ...
9 Julia zag niet wat er gebeurde want ze liep ...
10 Hij is vegetariër. Hij weigert ...
11 Een ander kleurtje in mijn haar, dat lijkt me leuk. Ik laat vanmiddag ...
12 • Waarom lig je op de bank?
• Ik lig ...
13 We gaan niet op één dag heen en weer naar Brussel. We blijven ...
14 Rita is vandaag jarig! O, daar heb ik niet aan gedacht! Ik heb vergeten ...
15 Ik heb gehoord dat je Spaans spreekt. Kun je misschien ...?
16 Ik denk dat er geen kaartjes meer zijn voor die film, maar ik probeer ...
17 Als je niets wil zeggen, is het ook goed. Je hoeft ...
18 • Wat koop jij voor Tina's verjaardag? Heb je al een idee?
• Ja, ik ga ...
19 Studenten mogen ...
20 Ik ga dit weekend naar een vriend in Arnhem. Ik vind het altijd heel gezellig ...

Oefening 4

Werk in tweetallen. Stel elkaar om de beurt een vraag.

1 Wat vind je leuk?
2 Waarom ga je op vakantie?
3 Noem eens iets wat je goed kunt.
4 Waarom wil je studeren?
5 Wat vind je vervelend?
6 Wat moet je van jezelf doen?
7 Wat hoef je van jezelf niet te doen?
8 Waarvoor gebruik je een woordenboek?
9 Wat vind je belangrijk?
10 Noem eens iets wat je niet durft.
11 Wat zullen we in het weekend doen? Waar heb je zin in?
12 Wat heb je gisteren vergeten?
13 Wat wil je graag doen?
14 Wat heb je nog nooit geprobeerd?
15 Wat is de functie van dit apparaat?

Prepositie-oefening

Vul de juiste prepositie in. Controleer daarna je antwoorden. Noteer de combinaties die je fout had.

_____ een dag reed ik __________ 140 kilometer __________ uur __________ de snelweg. __________ het algemeen rijd ik niet zo hard, maar die dag was het alsof ik geen controle had __________ mijn snelheid. Ik moest betalen __________ dit gedrag: een flinke boete. Hoeveel? Dat zeg ik liever niet!

Er was een onderzoek __________ het gedrag __________ jongeren __________ 15 en 20 jaar. Enkele interessante gegevens __________ dit onderzoek zijn:

- __________ de vraag 'Doe je wel eens iets __________ je zin?' antwoordde 63% __________ de groep __________ ja.
- Ruim de helft __________ de groep kijkt regelmatig __________ horrorfilms.
- 49% doet iets vrijwilligs __________ de school of het werk: boodschappen doen __________ ouderen, passen __________ de kinderen

of dieren ______ kennissen. Ongeveer een kwart ______ de jongeren doet ______ de vrije tijd iets ______ de vorm ______ georganiseerd vrijwilligerswerk.

- Gemiddeld zitten deze jongeren ______ dag maar liefst 47 minuten ______ de telefoon.

______ mijn vorige baan (______ de politie) had ik vaak te maken ______ conflicten en probleemsituaties. Ik merkte dat mensen ______ ernstige situaties kunnen veranderen ______ iemand anders: rustige mensen kunnen enorm agressief worden, passieve mensen kunnen goed besluiten nemen enzovoorts. ______ de opleiding leer je wel iets ______ zulke dingen, maar ______ de praktijk is het anders. Zo kwam ik ______ het idee om een praktijkboek ______ een video te maken. Het is bedoeld ______ politiemensen maar ook ______ anderen ______ dergelijke beroepen. Ik ben nu bezig ______ het laatste deel, en ik hoop dat het boek ______ de zomer ______ de winkels ligt.

DVD Luisteropdracht: Lachen is gezond

Bespreek met een medecursist deze vragen. Wat denk je dat het antwoord is?

1 In wat voor soort situaties lachen mensen?
2 Hoe reageren dieren in zulke situaties?
3 Kunnen dieren lachen?
4 Waarom is lachen gezond?

Kijk nu naar het beeldfragment. Klopten jullie ideeën?

Luisteropdracht

Over welke gevoelens zingt de zanger? Welke woorden over het weer gebruikt hij daarvoor?

Zij

de blik in haar ogen
verandert de kleur van mijn dag
't is niet te geloven
van zwart als ze boos is
tot blauwer dan blauw als ze lacht

de zon hangt voortdurend verliefd
om haar heen
en de maan laat haar nooit een
seconde alleen

een woord van haar lippen
kan telkens weer wonderen doen
't is niet te voorspellen
soms klinkt ze als onweer
en soms als een zonnig seizoen

maar hoe hard het ook vriest
ze is zo weer ontdooid
zolang ze bij mij is verveel ik me
nooit

want zij
zij is de zon en de maan voor mij
zij heeft het beste van allebei
zo mysterieus
en zo warm tegelijk
en ze doet iets met mij
ze is vrij
vrij om te gaan maar ze blijft bij mij
zij is de eb en de vloed erbij
ze is onweerstaanbaar
ze zegt me gewoon wat ze vindt
een vrouw en een kind
ze is wind en windstilte
en zij
zij hoort bij mij

en zij opent een wereld voor mij
zij is de zon op mijn huid en de
regen
wind mee en wind tegen
zij zit in alles voor mij
ze maakt me blij
zij houdt me vast maakt me vrij
zij is er altijd
zij maakt me deel van haar grote
geheel
zij is de betere helft
van mij
zij ...

Uitgevoerd door Marco Borsato

REFLECTIE

Dit is het eind van een hoofdstuk. Denk erover na of je het volgende wel of niet kunt.

- ☐ Je kunt in een tekst onderscheiden welke delen feitelijk zijn en welke delen persoonlijk zijn.
- ☐ Je kunt je klachten mondeling verwoorden.
- ☐ Je kunt een (formele) klachtenbrief schrijven.
- ☐ Je kunt een verslag schrijven over ervaringen en gevoelens in het verleden, in een eenvoudige maar duidelijk opgebouwde tekst.
- ☐ Je kunt de grammatica van dit hoofdstuk toepassen: je kunt zinnen maken met meer werkwoorden waarbij je (om – te) + infinitief gebruikt.
- ☐ Je kunt een reactie versterken met passende woorden en intonatie.
- ☐ Je kunt een beeldfragment begrijpen waarin zonder duidelijk accent maar in normaal spreektempo wordt gesproken.
- ☐ Je kunt de grote lijn uit een liedje halen.
- ☐ Je herkent specifieke woorden in een liedje.

THEMA 4
Onderwijs

Schema Nederlands onderwijssysteem

In dit schema kun je zien hoe het Nederlandse onderwijssysteem eruit zal zien als de vernieuwingen in het voortgezet onderwijs zijn ingevoerd.

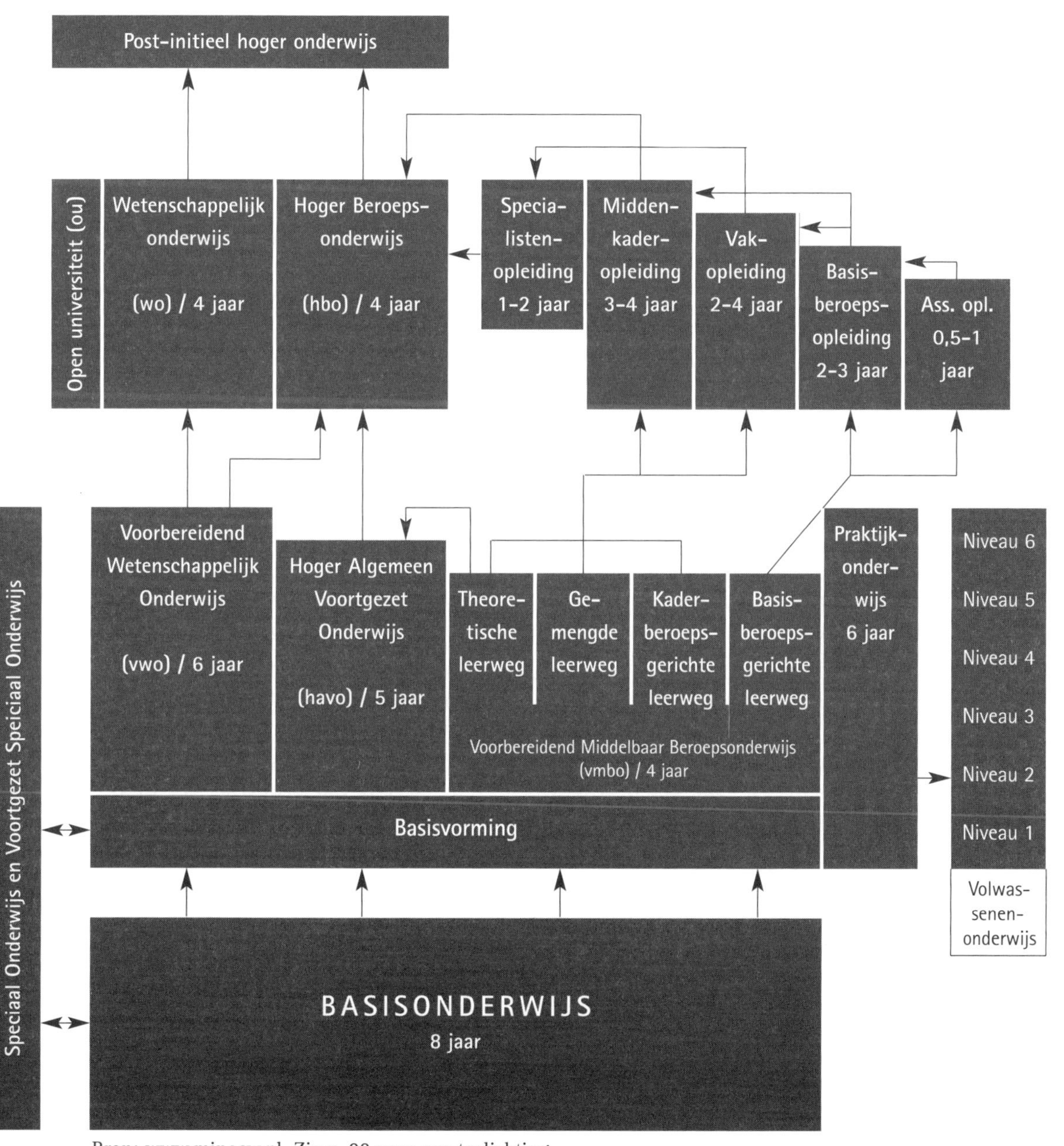

Bron: www.minocw.nl. Zie p. 98 voor een toelichting.

* De schoolsoorten vwo, havo, vmbo en praktijkonderwijs behoren tot het voortgezet onderwijs.
* Assistentopleiding, basisberoepsopleiding, vakopleiding, middenkaderopleiding en specialistenopleiding behoren tot het middelbaar beroepsonderwijs.
* Hbo, wo en Open Universiteit behoren tot het hoger onderwijs.
* Volwassenenonderwijs kent vier soorten opleidingen: voorgezet algemeen volwassenenonderwijs (vavo), Nederlands als tweede taal (NT2), breed maatschappelijk functioneren en sociale redzaamheid. De opleidingen worden niet op alle niveaus aangeboden.

Vragen bij de tekst

- In Nederland krijgen schoolkinderen twee of drie keer per jaar een rapport. Hierin staan de cijfers (resultaten) voor de verschillende vakken. De cijfers kunnen variëren van 1 tot 10. 1 is heel slecht en 10 is perfect.
  Hoe is het systeem van cijfers geven in jouw land?
- Een school organiseert één of twee ouderavonden per jaar. Weet je wat er op zo'n avond gebeurt?

'Leraar maakt niet meer uren dan anderen'

Van onze verslaggeefster
AMSTERDAM

'De lage status van het leraarschap is een sprookje. Leraren dénken dat ze van anderen het rapportcijfer 4,7 krijgen. In werkelijkheid krijgen ze een 8,5 van de Nederlander.' (5)

Heel even lijken de leraren rustig te blijven in de Amsterdamse Balie. Maar dan barst de kritiek los op spreker Robert Sikkes. (10) 'Hebben we dan geen zwaar beroep?' 'Ja, maar leraren maken niet meer uren dan andere hoogopgeleiden.' 'Worden we soms niet slecht betaald?' (15) 'Gemiddeld genomen niet.' Jullie vergelijken jezelf altijd met IT'ers en accountmanagers. Die verdienen meer. Maar over het algemeen kun je niet spreken van een salarisachterstand.' (20)

Onder het motto 'Wie wil er nou nog leraar worden?' werd woensdagavond in de Balie een discussie gehouden over het leraarschap. (25) Onderwijsjournalist Robert Sikkes verdedigde zijn boekje *Het Sprookje van de Statusdaling, feiten en mythen over leraren*. De aanwezige leraren vonden echter wel degelijk dat hun beroep (30) uitgekleed wordt, dat ze te weinig verdienen en te hard moeten werken. Ze klagen bovendien over het gebrek aan respect waarmee ze behandeld worden door het ministerie.

'Het voortgezet onderwijs is niets anders dan intensieve leerlinghouderij', meent een gepensioneerde lerares. 'Ze stoppen duizenden tieners in veel te kleine gebouwen. De gangen zitten verstopt. De kantines zijn een nachtmerrie. Ik zou niet terug willen.'

'Ik zeg niet dat het leraarsvak heel makkelijk is', zegt Marc Vermeulen, ex-leraar en arbeidsmarktonderzoeker. 'Maar er is een groot verschil tussen de werkelijkheid en het beeld van leraren. Zo blijkt dat leraren gemiddeld genomen veel plezier hebben in hun werk.'

Opnieuw barst de zaal los. 'In geld verdienen we misschien wel genoeg', vertelt een lerares Frans. 'Maar dat is niet in verhouding tot het werk dat we moeten doen. In vergelijking met landen als Duitsland en Frankrijk hebben wij twee keer zoveel leerlingen, twee keer zoveel correctiewerk en twee keer zoveel ouderavonden. We moeten steeds méér doen voor minder geld.'

Naar: *de Volkskrant*, 9 maart 2000

Beantwoord de volgende vragen.

1 Volgens de onderzoeker denkt men in Nederland negatief over het beroep van leraar.
Dit is waar / niet waar.

2 De leraren vinden dat hun beroep wordt uitgekleed. Dit betekent dat:
a men het beroep van leraar niet waardeert.
b de leraren te hard moeten werken.
c er steeds minder van hun beroep overblijft.

3 'Intensieve leerlinghouderij' is een woordgrapje op 'intensieve veehouderij'. Leg uit wat er volgens jou bedoeld wordt met 'intensieve leerlinghouderij'?

4 Een leraar in Duitsland of Frankrijk hoeft minder hard te werken dan een leraar in Nederland.
Dit is waar / niet waar.

5 Het motto van de discussiebijeenkomst in de Balie was 'Wie wil er nou nog leraar worden?' Welke redenen staan er in de tekst om geen leraar te worden?

Vocabulaire

aanwezig (r. 29)
: Het examen begint om 9.30 uur. Jullie moeten om 9.15 uur aanwezig zijn.

het beeld (r. 50)
: In deze documentaire zijn interviews met allerlei Nederlanders over werk, vrije tijd, familie, vrienden, geld, politiek, enzovoorts. Deze documentaire geeft een goed beeld van de Nederlandse maatschappij.

behandelen – behandelde – behandeld (r. 35)
: Hij is gek op dieren. Hij behandelt zijn honden alsof het zijn kinderen zijn.

bovendien (r. 33)
: Mijn nieuwe huis bevalt me heel goed. Het is groot en licht, en de buurt is heel leuk. Bovendien is het goedkoper dan mijn vorige woning.

degelijk
: Harry moet veel lopen en staan in zijn werk. Daarom koopt hij altijd degelijke schoenen.

wel degelijk (r. 30)
: Robert zegt dat hij niet op dat feest was, maar hij was er wel degelijk. Ik heb foto's van het feest en Robert staat daar ook op.

vergelijken – vergeleek – vergeleken (r. 16)
: Als je twee landen met elkaar wil vergelijken, moet je kijken naar allerlei elementen: de politieke situatie, economie, historische achtergrond enzovoorts.

in vergelijking met (r. 58)
: Wij vinden Amsterdam een grote stad, maar Amsterdam is in vergelijking met Hong Kong en Los Angeles niet zo heel groot.

in verhouding tot (r. 57)
: In onze stad is maar één zwembad. Dat is erg weinig, in verhouding tot het aantal inwoners. Je verwacht dat zo'n grote stad wel twee of drie zwembaden heeft.

Vocabulaire-oefening
Welke zin (a of b) kan vooraf zijn gegaan?

1 a Zeshonderd euro voor een week fietsvakantie is natuurlijk wel duur,
b Fietsvakanties in een groep zijn wel gezellig,
maar in vergelijking met andere vakantiereizen is een fietsvakantie goedkoop.

2 a Is een mobiele telefoon duur?
b Hoe werkt een mobiele telefoon?
Je kunt het vergelijken met radiogolven.

3 a Ik ga niet mee op wintersport want ik heb geen vrije dagen meer.
b Ik ga lekker mee op wintersport want ik heb een weekje vakantie nodig.
Bovendien houd ik niet van sneeuw.

4 a Het is een heel gemakkelijk baantje!
b Mijn werk is veel te zwaar!
Ik verdien veel, in verhouding tot het werk dat ik moet doen.

5 a Het was een belangrijke gebeurtenis.
b Er waren veel klachten over het salaris.
De burgemeester was ook aanwezig.

6 a Kan ik deze blouse via internet bestellen?
b Kan deze blouse in de wasmachine?
Sorry, ik weet ook niet hoe je deze blouse moet behandelen.

7 a Wat kun jij goed autorijden, zeg!
b Volgens mij heb jij geen rijbewijs!
Ik heb wel degelijk een rijbewijs. Al acht jaar!

8 a Ambulances, witte jassen, belangrijke operaties, levens redden:
b Er is natuurlijk ook veel routinewerk:
dat beeld hebben veel mensen van het werk in een ziekenhuis.

Toepassingsoefening
Werk in tweetallen. Reageer met het woord tussen haakjes.

1 Was je familie er ook toen je je diploma kreeg? (aanwezig)
2 Ik heb gehoord dat je in 'De Ster' heel goedkoop kunt eten. Is het eten daar ook lekker? (in verhouding tot)
3 Verdienen leraren veel in Nederland? (in vergelijking met)
4 Waarom ga je niet mee naar Ellen? (bovendien)
5 Het maakt volgens mij niet uit waar je een strippenkaart koopt, in de bus of op het station. (wel degelijk)
6 Hoe dacht jij vijf jaar geleden over Nederland? (beeld)
7 Welke taal is moeilijker: Nederlands of Frans? (vergelijken)
8 Wat doen we met de leesteksten? (behandelen)

Spreekopdracht

- Hoe is de status van leraar in jouw land?
- Hoe kan het beroep van docent aantrekkelijker worden gemaakt? In Nederland of in je eigen land.
- Zou je zelf leraar willen zijn? Voor kinderen, tieners, volwassenen? Welk vak?

Schrijfopdracht

Schrijf een korte tekst bij een van de volgende titels:

- Een bijzondere leraar.
- De middelbare school: de hemel of de hel?
- Zo zag mijn school eruit.
- Dit vak vond ik het allerleukste: ...
- Dit vak vond ik het allervervelendste: ...
- Een bijzondere herinnering aan mijn schooltijd.

Mening vragen en geven

Mening vragen

Wat vind je van ...?	Wat vind je van het studentenleven? Wat vinden jullie van de huisvesting voor studenten?
Hoe vind je ...?	Hoe vind je het onderwijssysteem? Hoe vindt u dit onderwijsprogramma?
Denk je (niet) dat ...?	Denk je dat het een goede beslissing is? Denkt u niet dat dit systeem te duur is?
Geloof je (niet) dat ...?	Geloof je niet dat zes jaar studeren te lang is? Geloven jullie dat dat het beste is?
Vind je (niet) dat ...?	Vind je dat ik mijn studie moet afmaken? Vindt u niet dat dit cijfer te laag is?

Wat vind jij daarvan?
Hoe vind jij dat?
Hoe zie jij dat?
Wat zijn jouw ideeën daarover?
Wat is jouw mening daarover?

Mening geven

Ik vind ...	Ik vind het studentenleven heel gezellig. Ik vind de kamers te duur.
Ik vind dat ...	Ik vind dat het onderwijssysteem ingewikkeld is. Ik vind dat het een goed programma is.
Ik denk dat ...	Ik denk dat je een verkeerde beslissing neemt. Ik denk dat het systeem niet te duur is.
Ik geloof dat ...	Ik geloof dat vier jaar studeren beter is. Ik geloof dat dat een goed idee is.
Volgens mij ...	Volgens mij moet je doorgaan met je studie. Volgens mij is dit een juist cijfer voor dit werkstuk.

Luisteropdracht

Luister naar de volgende gesprekken.

Ik heb gelezen dat het verplicht wordt voor studenten om een half jaar in het buitenland te studeren. Wat vind jij daarvan?
Ik vind het wel een goed idee. Zo zie je meer van de wereld.
Maar denk je niet dat je studie daardoor langer duurt?
Volgens mij valt dat wel mee. Het is toch een bijzondere ervaring!
Ja, maar het moet niet verplicht worden. Als het verplicht is, is het niet meer leuk.
De universiteit stimuleert zo het studeren in het buitenland. Ik denk dat het een goed idee is.
Ik geloof dat het beter is als het vrijwillig is.

Ik kan een baantje krijgen in een supermarkt. Denk je dat dat een goed idee is?
Ik vind het wel een leuk idee. Maar denk je dat je genoeg tijd hebt voor een baantje? Je moet ook studeren!
Ik denk dat ik het wel kan combineren. Ik hoef maar vier avonden per week te werken.
Volgens mij is vier avonden nogal veel. Geloof je niet dat het beter is om bijvoorbeeld twee avonden te werken?
Dat kan niet. De eigenaar van de supermarkt zegt dat het te duur is om nog meer personeel te zoeken. Vier avonden, of niets.
Ik vind het te veel. Maar ja, het is jouw keuze.

Spreekopdracht

Werk in tweetallen. Hieronder staat een lijstje met onderwerpen. Vraag de ander naar zijn mening over die onderwerpen. Deze geeft in een paar zinnen zijn mening met een argumentatie. Reageer daar weer kort op.

- salaris docenten
- aparte scholen voor jongens en voor meisjes
- collegegeld
- leerplicht voor kinderen van 4 jaar
- carrière maken of doen wat je leuk vindt?
- werken in een ander land
- het leren van een andere taal
- kwaliteit van tv-programma's
- fietsen naar het werk

Studiepunten voor Wallenbezoek

AMSTERDAM – Aan de universiteit van Twente gaat een speciaal buddyprogramma van start, waarbij buitenlandse studenten worden gekoppeld aan een Nederlandse student. Samen moeten ze op stap gaan naar de Wallen, de tulpen of een abortuskliniek en vervolgens krijgen ze hier studiepunten voor toegekend.

Het nieuwe vak, dat 'culturele confrontatie' gaat heten, is bedoeld voor ouderejaars en zal in september als pilot in de doctorale fase gaan draaien. De buitenlandse studenten zullen hierdoor niet langer in een gat vallen als ze in Nederland komen en de Hollandse studenten worden gestimuleerd om internationaal actief te zijn.

De universitair docenten S. de Boer en B. Rietjens hebben een lange lijst met typisch Nederlandse plaatsen en onderwerpen bedacht die volgens hen de moeite waard zijn om te bezoeken of te bestuderen en daarna te belonen met studiepunten. 'Denk aan de Wallen in Amsterdam, abortusklinieken, molens, kaas, tulpen, gescheiden afval of coffeeshops. De aan elkaar gekoppelde studenten moeten minimaal 40 uur aan die Nederlandse activiteiten besteden. Er moet niet alleen over gepraat worden, uitstapjes zijn verplicht en ook denk ik aan samen koken en sporten,' aldus docent B. Rietjens.

Naast de 40 uur activiteiten moet er 20 uur besteed worden aan het maken van een verslag. Daarnaast dient er onderzoek verricht te worden naar het land van herkomst van de buitenlandse student. Rietjens: 'Aan het einde hebben dan beide studenten 1,5 studiepunt verdiend. Zo hopen we de buitenlanders niet in het diepe gat te laten vallen; ze moeten meer contact maken met Nederlanders. Jaarlijks komen er naar de universiteit van Twente alleen al 140 Chinezen! Al die buitenlandse studenten gaan in de praktijk toch bij elkaar op de campus zitten en hebben soms enkele jaren in ons land geen enkel contact met Nederlanders.'

Uit: *De Telegraaf*, 2 juli 2002

Vragen bij de tekst

Beantwoord de volgende vragen.

1 Wat is het doel van het buddyprogramma voor buitenlandse studenten? En het doel voor Nederlandse studenten?

2 Wat betekent de uitdrukking 'in een gat vallen' (r. 17)?
3 In regel 8 staat 'als ze in **Nederland** komen' en 'de **Hollandse** studenten'. Wat is het verschil tussen Nederlandse en Hollandse studenten?
4 'De Wallen in Amsterdam' wat voor soort buurt is dat?
5 Welke drie dingen moeten studenten doen om 1,5 studiepunt te krijgen?
6 Waarom maken buitenlandse studenten volgens de tekst bijna geen contact met Nederlanders?

Vocabulaire

aldus (r. 38)
  Buitenlandse en Nederlandse studenten moeten meer dingen samen doen, aldus een docent. Hij zei dat in een interview op de radio.

bedenken – bedacht – bedacht (r. 25)
  Wat een fantastisch plan! Wie heeft dat bedacht?

beide (r. 47)
  Ik heb volgende week twee tentamens. Ik moet ze beide halen, anders heb ik te weinig studiepunten.

dienen – diende – gediend (r. 43)
  1 Je dient een geldig identiteitsbewijs bij je te hebben. Dat moet gewoon.
  2 'Waarvoor dient deze knop op de computer?' 'Daarmee krijg je het euroteken: €.'

draaien – draaide – gedraaid (r. 15)
  1 'Ik kan de fles niet open krijgen.' 'Je moet de dop de andere kant op draaien.'
  2 Die film draait nog tot donderdag, daarna kun je hem niet meer zien.

enkele
  Ik zoek enkele buitenlandse studenten om te interviewen. Ken jij een paar studenten die dat willen?

geen enkel (r. 58)
  Ik heb haar een brief geschreven, maar ik heb geen enkele reactie gekregen. Geen brief, geen e-mail, geen sms; helemaal niets.

de moeite waard zijn (r. 25)
  Dat museum is de moeite waard. Je moet er echt eens naartoe.

het onderwerp (r. 24)
  'Wat is het onderwerp van de lezing?' 'De lezing gaat over het Nederlandse onderwijssysteem.'

op stap gaan – ging – is gegaan (r. 7)
'Heb je zin om in het weekend een dagje naar Gent te gaan?' 'Ja, het lijkt me leuk om samen op stap te gaan.'
het vak (r. 11)
'Heb je je propedeuse gehaald?' 'Ik moet nog in één vak een tentamen doen.'
verrichten – verrichtte – verricht (r. 43)
We moeten nog veel werk verrichten voordat het project klaar is.
We moeten nog allerlei dingen doen.

Vocabulaire-oefeningen

1 Welk woord hoort er niet bij?

1 volgens – aldus – daardoor
2 verrichten – besteden – doen
3 hoeven – moeten – dienen
4 alle twee – een aantal – beide
5 behandelen – bedenken – verzinnen
6 enkele – verschillende – een paar

2 Vul een van de volgende woorden in: *draaien, geen enkel, het onderwerp, op stap gaan, het vak, de moeite waard zijn.*

- Hoi Tessa. Hoe gaat het met je studie?
- Niet zo. Ik moet een werkstuk schrijven voor ______________ (1) interculturele communicatie, maar ik kan geen geschikt ______________ (2) bedenken.
- Misschien moet je even iets heel anders gaan doen. Heb je zin om vanavond ______________ (3) te ______________ (3)? We kunnen naar de kroeg of naar de film gaan.
- ______________ (4) er momenteel iets leuks?
- Ja, in het Filmhuis zijn er twee films die ______________ (5), maar ze beginnen pas om 23.00 uur.
- ______________ (6) probleem. Ik heb morgenvroeg geen afspraken.

Toepassingsoefening
Werk in tweetallen. Reageer met het woord tussen haakjes.

1 Wanneer ben je dan in Italië geweest? (enkele)
2 Ga je vanavond mee naar de film? (draaien)
3 Kun je deze twee boeken met elkaar vergelijken? (beide)
4 Wat doen jullie vanavond? (op stap gaan)
5 Wat voor onderzoek doen ze in dat laboratorium? (verrichten)
6 Waarvoor moet je dat boek lezen? (vak)
7 Was het een leuke fietstocht? (de moeite waard zijn)
8 Wat gaan we eigenlijk doen op ons jaarlijks dagje uit? (bedenken)
9 Hoe lang van tevoren moet ik een beurs aanvragen voor een buitenlandse stage? (dienen)
10 Weet je al waar je je scriptie over gaat schrijven? (onderwerp)
11 Lijken het Chinees en het Nederlands op elkaar? (geen enkel)

Spreek- en schrijfopdrachten

1. Je zit in de commissie voor de opvang van buitenlandse studenten. Je gaat een enquête houden om te kijken hoe je buitenlandse studenten het beste kunt opvangen. Willen ze veel excursies, wat voor activiteiten willen ze, hoe vaak enzovoort.
   Bedenk 10 vragen voor de enquête.

2. Neem de enquête af en schrijf een kort verslag.

3. Je overlegt de uitkomst met andere commissieleden. Wat ga je wel en wat ga je niet aanbieden? Stel een programmalijst samen van minimaal 5 activiteiten die voor een buitenlandse student interessant zijn.

Scheidbare werkwoorden

In de vorige tekst en opdrachten heb je een aantal werkwoorden gezien die uit een werkwoord bestaan en een prefix: *toekennen, opvangen, afnemen, aanbieden.*
Als het accent op dit eerste deel valt, is het een scheidbaar werkwoord.

Hoofdzin

presens	– opvangen	Zij vangen buitenlandse studenten op.
imperfectum	- samenstellen	We stelden een programma samen.
perfectum	- nakijken	De docenten hebben de examens binnen een week nagekeken.
infinitief	- aanbieden	We willen een leuk programma aanbieden.
imperatief	- afnemen	Neem de enquête af.
om-te	- opvangen	Ik vind het belangrijk om buitenlandse studenten op te vangen.

Bijzin

presens	- opvangen	Ik geloof dat zij buitenlandse studenten opvangen.
imperfectum	- samenstellen	Ik geloof dat de studenten het programma samenstelden.
perfectum	- nakijken	Ik heb gelezen dat de docenten de examens binnen een week hebben nagekeken.
infinitief	- aanbieden	Ik vind dat we een leuk programma moeten aanbieden.

Niet alle werkwoorden die bestaan uit een werkwoord en een deel ervoor zijn scheidbaar. Bij de werkwoorden die je niet kunt scheiden, valt het accent op het laatste deel. Bijvoorbeeld: *achtervolgen.*

Oefening 1

Zet het werkwoord tussen haakjes in de goede vorm.

1 Heb jij zijn e-mailadres nog (opzoeken)?
2 Kun je me (uitleggen) hoe dit programma werkt?
3 Jullie hebben nog een week om je te (inschrijven) voor de volgende cursus.
4 Ik (uitkijken) al een paar maanden naar een andere kamer.
5 (opschieten) nu toch, anders komen we te laat.
6 Ik heb zaterdag lekker (uitslapen), ik ben pas om 12.00 uur (opstaan).
7 Toen ik dat account (aanvragen), moest ik eerst een lange instructie (doorlezen).
8 (binnenkomen) je even of (doorgaan) je direct?
9 Zij (voorbereiden) haar colleges vorig jaar altijd heel goed.
10 Ik (inschenken) nog even koffie en dan (opbellen) ik mijn moeder.

Oefening 2

Maak deze zinnen compleet. Gebruik het gegeven werkwoord.
Soms komt er nog een zin, of een deel van een zin. Zorg dat deze zinnen en jouw aanvulling bij elkaar passen.

1	afstuderen	Max is bioloog. In 1998 ...
2	doorgaan	Anita heeft twee jaar fysiotherapie gestudeerd. Ze is nu even gestopt met haar studie, maar volgend jaar ...
3	nakijken	De antwoorden staan achter in het boek. De studenten ...
4	meevallen	Ik dacht dat Nederlands een erg moeilijke taal was, maar ...
5	nadenken	Joachim wist niet wat hij wilde studeren. Hij heeft ... en uiteindelijk heeft hij sociologie gekozen.
6	ophouden	Robert begon in september met de studie psychologie, maar in november ...
7	meedoen	Start er een nieuwe cursus fotografie? Ik ... dus ik ga snel mijn naam op de inschrijflijst zetten.
8	opschieten	Wil je ook een taalcursus volgen? ... want de inschrijving sluit aanstaande woensdag.
9	tegenvallen	Tobias is gestopt met zijn studie, omdat ...
10	uitzoeken	Ik wil graag verder met mijn studie tandheelkunde, maar ik weet niet of dat mogelijk is. Dat moet ...

11	opletten	Wat ik nu zeg, is erg belangrijk. ...: volgende week woensdag hebben we geen les.
12	invullen	We sturen uw inschrijfformulier terug. U hebt het ... Uw geboortedatum ontbreekt, en u moet aankruisen of u een groepscursus wilt, of een individuele cursus.
13	inleveren	Sorry, ik ben nog niet klaar met mijn schrijfopdracht. Mag ...
14	opgeven	We moesten opdracht 2 toch ook maken? De docent heeft ... Kijk maar, het staat hier bij mijn aantekeningen: Huiswerk, opdr. 2.

Oefening 3

Je krijgt van de docent een papier met instructie.

Spreekopdracht

Het Ministerie van Onderwijs heeft extra geld gekregen. Het hoger onderwijs krijgt dit jaar 1 miljoen euro extra. Een commissie moet beslissen waaraan het geld wordt besteed.
Hieronder staat een lijstje met mogelijkheden. Drie van deze dingen kunnen gerealiseerd worden. Alle dingen kosten even veel geld.
Je beslist eerst zelf welke drie dingen jij belangrijk vindt (Denk aan je argumenten!). Daarna overleg je in een groepje. Jullie moeten het in je groepje met elkaar eens worden.

- meer jonge onderzoekers aanstellen
- internetvoorzieningen aanbrengen in de kamers van studentenhuisvesting
- meer geld voor internationaal toponderzoek uittrekken
- goede docenten een beter salaris aanbieden zodat die niet naar het bedrijfsleven vertrekken
- investeren in meer en betere computerfaciliteiten in de gebouwen van het hoger onderwijs
- meer geld voor opvang en begeleiding van buitenlandse studenten uittrekken
- moderniseren van de universiteitsbibliotheek
- een financiële bijdrage geven voor buitenlandse stages
- betere studentensportvoorzieningen creëren
- gratis taalcursussen aanbieden aan studenten
- studentenhuizen aanpassen voor gehandicapte studenten

Prepositie-oefening

Vul de juiste prepositie in. Controleer daarna je antwoorden. Noteer de combinaties die je fout had.

Valtyr komt __________ IJsland. Hij is daar leraar Engels. Hij wil __________ de toekomst ook __________ Nederland gaan werken. Daarom heeft hij stage gelopen op een school __________ havo en vwo. Hij heeft een verslag geschreven __________ deze stage. Hieronder volgen enkele punten __________ zijn verslag:

- De leerlingen zitten ongeveer zes uur per dag __________ school. Daarnaast besteden ze ongeveer twee uur __________ hun huiswerk.
- De eerste twee jaar zitten alle leerlingen __________ elkaar. __________ twee jaar hebben de docenten een goed beeld __________ het niveau __________ de leerlingen. Dan krijgen de leerlingen een advies voor het vervolg: havo, vwo of een andere vorm __________ onderwijs. Het vwo is bedoeld __________ jongeren die later __________ de universiteit kunnen gaan studeren.
- Het schooljaar gaat __________ augustus of september __________ start. Er is een korte vakantie __________ oktober, een wat langere vakantie __________ de periode rond de feestdagen (Kerstmis en oud en nieuw), en __________ het voorjaar hebben ze nog een paar vakanties __________ een week. In de zomer hoeven ze acht weken niet __________ school. Dat is niet veel, __________ vergelijking __________ mijn land.
- Veel leraren hebben kritiek __________ het onderwijssysteem, maar ze hebben wel veel plezier __________ hun werk. Het leukste vinden ze het contact __________ jongeren (__________ twaalf __________ achttien jaar).

Er wordt ook veel geklaagd __________ het salaris. De docenten vinden het laag, __________ verhouding __________ het werk dat ze moeten doen. Ze vinden dat het land meer moet investeren __________ onderwijs, en dat de leraren beloond moeten worden __________ hun werk __________ meer salaris. Dan wordt de status __________ hun beroep ook hoger, en dan komt hun salaris __________ Europees niveau.

Luisteropdracht: De stand van zaken in het onderwijs

Bestudeer eerst de begrippen en het vocabulaire.

Begrippen

de stand van zaken
de wetenschap
de kenniseconomie
investeren
de uitgaven stijgen / dalen
het budget
het verleden
de toekomst
de promovendus / de post-doc

Vocabulaire

zich sterk maken	Je wil echt iets doen, want je vindt het belangrijk.
achterstallig onderhoud	iets wordt slechter als je er niet goed voor zorgt. Bijvoorbeeld een huis dat je nooit verft, of waar je geen dingen repareert.
de schijn ophouden	doen alsof iets goed is (en dat is het niet meer)
Hollands glorie	iets waar Nederland trots op kan zijn
glorie is vergankelijk	iets waarop nu iedereen trots is, is volgend jaar vergeten. Bijvoorbeeld in de sport: belangrijke sporters van tien jaar geleden zijn nu vergeten. Niemand kent ze nog.
iets in de gaten hebben	zien dat er iets gebeurt, de situatie begrijpen
de B.V. Nederland	Nederland gezien als een bedrijf
dat is meer geluk dan wijsheid	je verdient iets, maar niet omdat je slim was, maar alleen door geluk, door toeval

Kijk naar het beeldfragment en beantwoord de volgende vragen.

1 Hoe is de situatie van de Nederlandse wetenschappers nu?

a Nederlandse wetenschappers horen bij de top van de wereld.
b Nederlandse wetenschappers zijn niet meer zo goed.
c Nederlandse wetenschappers worden steeds beter.

2 Aan welke sector wordt het meeste geld besteed, aan welke het minste?
onderwijs - veiligheid - zorg

3 Er zijn veel buitenlandse promovendi en post-docs in Nederland.
Waarom?

a Buitenlandse wetenschappers zijn beter dan Nederlandse wetenschappers.
b Buitenlandse wetenschappers zijn goedkoper dan Nederlandse wetenschappers.
c Nederlanders willen niet graag meer wetenschappelijk werk doen.

4 Waarom is de kennis van deze buitenlandse wetenschappers voor Nederland niet economisch?

a Buitenlandse wetenschappers zijn heel duur voor Nederland.
b Hun onderzoeken zijn niet interessant voor de Nederlandse wetenschap.
c Na hun onderzoek gaan deze wetenschappers vaak weer terug naar hun eigen land.

5 Als buitenlandse onderzoekers weer teruggaan naar hun eigen land, hoe reageert het bedrijfsleven dan misschien?

a Ze verplaatsen de productie naar het buitenland.
b Ze verplaatsen het onderzoek ook naar het buitenland.
c Ze gaan alleen met Nederlandse onderzoekers werken.

6 Hoe is de stemming, de teneur, in dit fragment?

a Optimistisch, want de regering gaat meer besteden aan onderwijs en wetenschap.
b Optimistisch, want Nederland hoort bij de top in de wetenschap.
c Pessimistisch, want Nederland investeert niet genoeg in onderwijs en wetenschap.
d Pessimistisch, want de kwaliteit van de Nederlandse wetenschap loopt nu al achter.

Spreekopdracht

Bespreek wat je gezien hebt, in een groep van drie of vier. Probeer woorden te gebruiken uit het beeldfragment.

Schrijfopdracht

Maak deze samenvatting compleet. Probeer de begrippen te gebruiken die vooraf gegeven zijn.

- Deze video gaat over ...
- De regering wil de kenniseconomie stimuleren, maar ...
- Als er nu niet genoeg investeringen in het onderwijs zijn, ...
- Als Nederland bij de wetenschappelijke koplopers wil blijven, ...
- In andere landen ...

DVD Luisteropdracht

Je gaat luisteren naar een liedje over school.

- Gaat de persoon in dit liedje wel of niet graag naar school?
- Wat wil hij worden? Was ik maar een ...
- Welke schoolvakken worden genoemd?
- Welke muziekinstrumenten worden genoemd?

School

School, school, elke dag naar school.
Je moet van alles weten, was ik maar een popidool.
School, school, elke dag naar school.
De helft al vergeten, was ik maar een popidool.

Wiskunde, scheikunde, Nederlandse taal,
en als je dan kapot bent, kun je sporten in de zaal.
Rekenen en tekenen, het is geen kattenpis
en alles moet je leren, anders gaat het later mis.

School, school, elke dag naar school.
Je moet van alles weten, was ik maar een popidool.
School, school, elke dag naar school.
De helft al vergeten, was ik maar een popidool.

Was ik maar een popidool, dan was ik heel bekend,
kwam ik op de televisie met mijn eigen band.
Saxofoon, keyboard, een gitaar en ook een bas,
maar niemand die een beetje muzikaal is in de klas.

School, school, elke dag naar school.
Je moet van alles weten, was ik maar een popidool.
School, school, elke dag naar school.
De helft al vergeten, was ik maar een popidool.

Je moet ze horen zingen, man dat is geen gehoor.
Je kan toch ook niet swingen met een walkman in je oor.
Gelukkig zit mijn allerbeste vriend op deze school
die als het allerbeste spelen kan op zijn viool.

Een keer in de week, dan hebben we techniek,
dat vind ik waardeloos maar ik ga toch in de muziek.
Met mijn mondharmonica, een fluitje van een cent
en toevallig met mijn vriend al wel een eigen band.

Dan een demo maken, ergens in een studio,
naar de televisie, naar de radio.
In een half jaar meteen een platina cd,
Madonna komt met Michael Jackson bij me op de thee.

School, school, elke dag naar school.
Je moet van alles weten, was ik maar een popidool.
School, school, elke dag naar school.
De helft al vergeten, was ik maar een popidool.

School, school, elke dag naar school.
Je moet van alles weten, was ik maar een popidool.
School, school, elke dag naar school.
De helft al vergeten, was ik maar een popidool.

Uitgevoerd door Circus Custers

REFLECTIE

Dit is het eind van een hoofdstuk. Denk erover na of je het volgende wel of niet kunt.

- ☐ Je kunt een zakelijke tekst voldoende begrijpen. Je kunt de betekenis van onbekende woorden raden.
- ☐ Je kunt onvoorbereid deelnemen aan een gesprek over een onderwerp.
- ☐ Je kunt een korte tekst schrijven over een gegeven onderwerp.
- ☐ Je kunt op meer manieren je eigen mening geven en de mening van anderen vragen.
- ☐ Je kunt gerichte vragen voor een enquête opstellen.
- ☐ Je kunt (schriftelijk) verzamelde informatie samenvatten en erover rapporteren.
- ☐ Je kunt in een overleg begrijpen wat de overtuiging en argumenten van de anderen zijn.
- ☐ Je kunt in een overleg reageren op de mening en argumenten van anderen.
- ☐ Je kunt in een groep voorstellen doen om een beslissing te nemen.
- ☐ Je kunt de grammatica van dit hoofdstuk toepassen: je kunt herkennen of een werkwoord scheidbaar of onscheidbaar is. Je kunt scheidbare werkwoorden op de juiste manier gebruiken.
- ☐ Je kunt op basis van een beeldfragment je mening vormen en deze uiten.
- ☐ Je kunt uit een snel gezongen liedje de grote lijn halen en bepaalde woorden herkennen.

THEMA 5
Buitenlanders in Nederland

Waar komt deze kip vandaan?

Bekijk de volgende cartoon. Welke nationaliteit hoort bij welke kip? Waarom?

Spreekopdracht

Werk in tweetallen. Kies elk een onderwerp uit en bespreek wat dat onderwerp met cultuur te maken heeft, en met de Nederlandse cultuur.

Bijvoorbeeld: alcohol
In sommige culturen is alcohol absoluut verboden, in andere culturen is het iets wat je elke dag en overal kunt tegenkomen. De manier waarop je met alcohol omgaat, hangt af van je cultuur. In de Nederlandse cultuur is alcohol wel gewoon, maar het is niet gewoon als mensen heel erg dronken op straat liggen.

eten	architectuur	dansen	gebaren
religie	alcohol	opvoeding	schilderkunst
muziek	kleding	communicatie	geld

De broodlunch als struikelblok

door Mathilde Sanders

Buitenlanders die tijdelijk in Nederland werken, moeten soms wennen aan Nederlandse gewoontes. Ze krijgen daarom van hun baas vaak een speciale cursus: een cultuurschoktraining. 'Buitenlanders hebben vooral moeite met het Nederlandse overleggen, de directheid en de gereserveerdheid.'

De Portugees Pedro de Oliveira (28) kwam vorig jaar september naar Nederland. In Nijmegen ging hij aan de slag als ingenieur bij Philips Semiconductors. Veel buitenlanders die hier als expatriate komen werken (de zogenoemde impats), ervaren een cultuurschok. Pedro ook. 'Ik voelde me gedeprimeerd en triest door alle verschillen', vertelt hij. 'Omdat ik dingen anders zag, begon ik te denken dat er iets mis was met me. Nu begrijp ik dat het niet aan mij lag en niet aan anderen lag, maar aan de onbekende cultuur.' Nog geen jaar later besloot Pedro terug te keren naar Portugal. Hij had heimwee naar zijn familie en vrienden. Personeelsmanagers bij een multinational vinden zulke verhalen vreselijk. Het aantrekken van buitenlandse werknemers is duur en tijdrovend. Als een impat dan eerder weer terug gaat, zit het bedrijf met de problemen. Dit soort situaties komt regelmatig voor. Uit een recente enquête bij 159 multinationals blijkt dat ongeveer 10 procent van de uitzendingen mislukt.

Struikelblok

Onbegrip voor de cultuur van het nieuwe land blijkt een van de grootste struikelblokken voor impats. Zelfs in multicultureel Nederland, met bijna 3 miljoen allochtonen, is het voor buitenlanders behoorlijk wennen. Steeds meer werkgevers sturen hun impats daarom naar trainingen die de cultuurschok moeten verzachten. Er zijn veel organisaties en bureaus die zulke trainingen geven. Een daarvan is Holland Relocation, in Arnhem. Tijdens hun 'cross cultural training' blijkt al snel dat buitenlanders vooral moeite hebben met drie dingen: de platte hiërarchie, de directheid en gereserveerdheid van Nederlanders. Velen zijn verbaasd over de eindeloze vergaderingen, waar iedere werknemer iets mag zeggen. Ook als de beslissing al is genomen.

De Amerikaan Neil Schell, die bij het internationale technologiebedrijf Applied Materials werkt, vertelt: 'Tijdens mijn eerste vergadering viel iedereen stil, omdat ik meteen mijn besluit op tafel legde. Nu weet ik dat ik moet wachten. De baas moet vooraf vragen wat iedereen wil.'

Aan het einde van een bijeenkomst is vaak een rondvraag. Dit vindt ook niet iedereen goed. De Spaanse Juan Muñoz, die bij de Akzo-dochteronderneming en farmaceutisch bedrijf Intervet werkt, vindt zo'n rondvraag maar kinderachtig. Ella Czubaty uit Polen vond het raar dat zij als secretaresse moest meebeslissen. 'Mijn baas gaf me tijdens de vergadering een schop onder tafel en zei: "Ik weet dat je iets wilt zeggen".'

Informaliteit en directheid op de Nederlandse werkvloer leiden eveneens tot onbegrip. 'Ik was stomverbaasd toen Nederlandse studenten commentaar gaven op mijn lessen', vertelt Keiko Yoshioka, die Japans doceert aan de Universiteit Leiden.

'Nederlanders durven alles te zeggen. Zelfs als ze daarmee hun baas beledigen', vertelt Pedro de Oliveira uit Portugal. Hij moest eraan wennen dat iedereen je en jij tegen elkaar zegt en dat niemand zijn titel gebruikt. 'In Portugal zijn de contacten veel formeler en kleedt men zich netter', stelt De Oliveira.

Privé-leven

Ondanks de informele omgang op de werkvloer zijn Nederlanders zeer gereserveerd zodra het om hun privé-leven gaat. 'Werk en privé-leven houdt men hier gescheiden', zegt de Marokkaan Saad Mezzour. 'Toen ik een Nederlandse collega bij mij thuis uitnodigde, zei hij: →

"Oké voor deze ene keer dan, maar daarna niet meer".' De Amerikaan Schell ervoer ook die afstandelijkheid: 'In de Verenigde Staten zijn collega's meestal goede vrienden. Hier gaan ze zelden samen uit eten of naar de kroeg.' Czubaty uit Polen mist het dat er nooit spontaan iets leuks wordt gedaan. 'Alles moet op afspraak en kan nooit op de dag zelf, maar pas weken later.'

Meg Lota Brown, de Amerikaanse trainster van Holland Relocation, heeft een duidelijke verklaring voor de Nederlandse consensus, directheid en gereserveerdheid. Ze neemt de landkaart van Nederland en vraagt haar buitenlandse cursisten 'Wat is het eerste dat opvalt?' Antwoord: 'Het land is plat, dichtbevolkt en omringd door zee.' Deze geografische kenmerken verklaren de aard van de Nederlander, vervolgt Brown. 'Omdat er geen bergen zijn, kunnen Nederlanders zich nergens verbergen. Hierdoor zijn er weinig verrassingen en is het volk direct', vertelt ze. 'Door de hoge bevolkingsgraad zijn Nederlanders erg gesteld op hun privacy. Daarom blijven werk, familie en school gescheiden. Bij gebrek aan fysieke plek is er behoefte aan psychologische ruimte.'

Overstroming

De dreiging van de zee verklaart de Nederlandse tolerantie en consensus, de wens om alles te over leggen en samen te beslissen. 'Eén Nederlander kan een overstroming niet tegenhouden. Daarvoor is samenwerking nodig', meent Brown. 'Het ergste wat je tegen een Nederlander kan zeggen, is dat hij asociaal is. In andere landen noemt men iemand die niet van feestjes houdt 'asociaal', maar hier betekent het dat mensen hun verantwoordelijkheden afschuiven.'

Bij de cross cultural training behandelen ze ook praktische zaken, zoals de Nederlandse werktijden en de broodlunches. In veel landen zijn uitgebreide warme middagmaaltijden en overwerk veel gewoner dan hier. Het advies van de trainer: 'Anders is niet beter of slechter, maar gewoon ánders. Als je dat niet accepteert, maak je vooral jezelf ongelukkig.'

Naar: *de Volkskrant*, 28 augustus 2001

Vragen bij de tekst
Kloppen de volgende redeneringen volgens de tekst?

1 Buitenlanders hebben moeite met de directheid van de Nederlanders, daarom krijgen ze in het begin vaak een speciale training.

2 Buitenlandse werknemers aannemen is duur en kost veel tijd dus personeelsmanagers vinden het vervelend als buitenlandse werknemers weer snel vertrekken.

3 Buitenlanders moeten wennen in Nederland omdat er bijna drie miljoen allochtonen zijn.

4 In Nederland vergadert men heel lang om zo een goede beslissing te nemen.

5 Werk, familie en school zijn aparte werelden want Nederland heeft een hoge bevolkingsgraad.

6 In Nederland moet je veel samenwerken zodat je een overstroming kunt tegenhouden.

Vocabulaire

afstandelijk (r. 121)
Mijn collega's vinden dat Jonathan zich afstandelijk gedraagt. Hij praat nooit over zijn privé-leven.

behoorlijk (r. 49)
Ik woon behoorlijk ver van mijn werk. Ik moet elke dag anderhalf uur reizen.

dreigen – dreigde – gedreigd (r. 157)
Ons kantoor dreigt te moeten sluiten, want er zijn te weinig klanten. Ik hoop dat er snel meer klanten komen!

de gewoonte (r. 3)
Als er een collega jarig is, geven we hem of haar een boeket bloemen. Dat is een gewoonte bij ons op het werk.

leiden tot – leidde – geleid (r. 91)
Hun kinderen mogen vrijwel geen televisie kijken. Ze denken dat televisie kijken tot agressief gedrag leidt.

liggen aan – lag – gelegen (r. 24)
Ik krijg last van mijn rug als ik lang moet zitten. Ik denk dat het aan mijn bureaustoel ligt: die is te laag.
het ligt eraan
'Ga je mee naar de kroeg?' 'Het ligt eraan hoe laat je gaat. Ik kan pas om negen uur weg.'
opvallen – viel op – is opgevallen (r. 139)
Je moet licht op je fiets hebben. Dan val je beter op voor het andere verkeer. Als je 's avonds zonder licht fietst, zien de automobilisten je niet.
raar (r. 84)
Ik vind het heel raar dat je in Nederland je baas mag aanspreken met zijn voornaam. Dat kan in mijn land absoluut niet. Ik vind het ook heel gek en moeilijk om Gert te zeggen tegen mijn baas.
aan de slag (r. 14)
Vrijdag moeten we het rapport presenteren. We moeten dus nu aan de slag, want we moeten nog veel doen.
uitbreiden – breidde uit – uitgebreid
Ons bedrijf gaat het kantoor uitbreiden. Er komen twintig nieuwe personeelsleden bij.
uitgebreid (r. 177)
Hij vertelde uitgebreid over de nieuwe plannen. Hij gaf alle cijfers en details.
verantwoordelijk (r. 170)
Er staat een fout in de brochure. Daar moet ik met Jeanine over praten, want zij is verantwoordelijk voor de brochures.
de verklaring (r. 133)
Olga heeft vaak hoofdpijn. Ze heeft erop gewezen dat de ramen in haar werkkamer niet open kunnen. Dat kan een verklaring zijn voor haar hoofdpijn.
wennen aan – wende – gewend (r. 3)
De kinderen van Pedro en Eline wenden snel aan hun nieuwe school. Na een paar dagen hadden ze al vrienden.
zelden (r. 123)
Ik ga zelden naar de bioscoop, misschien twee keer per jaar. Ik huur liever een video.
zogenoemd (r. 17)
We hebben vorig weekend gefietst in het gebied ten noorden van Amsterdam, de zogenoemde kop van Noord-Holland.

Vocabulaire-oefening
Vul woorden uit de lijst in.

Eric vertelt over zijn geldzorgen:
Ik ben student, en dus arm. Dat is niet zo ____________(1), dat is volgens mij in de hele wereld zo. Ik heb____________ (2) een rijke student gezien. Meestal is aan het eind van de maand mijn geld helemaal op. Waar ____________ (3) dat ____________ (4)? Tja, ten eerste ga ik graag uit, en dat is ____________(5) duur. Dan heb ik nog een dure____________ (6): ik koop veel cd's. En ik houd van bijzondere kleren. Ik vind het leuk om ____________ (7) te ____________(8) door aparte broeken of shirts.
Maar ik heb natuurlijk altijd te weinig geld voor zo'n duur leventje. Ik krijg wel studiegeld, de____________ (9) basisbeurs, maar dat is niet veel. En van mijn ouders krijg ik een deel. Zij zijn ook ____________ (10) voor de kosten van mijn studie.
Ik ben er ____________(11) ____________ (12) om weinig geld te hebben, maar de laatste maanden werd het toch te gek. Ik ____________ (13) halverwege de maand al rood te staan bij de bank! Ik dacht dus: ____________ (14) ____________ (15) ____________ (16)! Ik ging op zoek naar werk, maar een vriendin zei dat ik beter kon beginnen met zoeken aan het begin van de maand. 'Dan hebben alle studenten weer geld, en zoeken ze geen werk. Dan kun je kiezen uit meer baantjes' was haar ____________ (17). Geloof jij dat?

Toepassingsoefening
Werk in tweetallen. Reageer met het woord tussen haakjes.

1 Ga jij wel eens iets drinken met collega's? (zelden)
2 Ik heb een andere kleur in mijn haar. Heb je dat niet gezien? (opvallen)
3 Welke eeuw was belangrijk voor de Nederlandse kunst? (zogenoemd)
4 Het huis waarin ik woon, is gebouwd in 1920. (behoorlijk)
5 Ik ga naar de markt. Zal ik een paraplu meenemen? (dreigen)
6 Als ik een cadeautje krijg, moet ik het dan direct openmaken? (gewoonte)
7 In het oosten van Nederland is het in de winter een beetje kouder dan in het westen. Weet jij waarom? (verklaring)
8 Wat vind je vreemd in Nederland? (raar)
9 Heeft Antoine jou verteld over zijn vakantie? (uitgebreid)
10 Carlo zegt bijna niets. Doet hij altijd zo? (afstandelijk)

11 Wat ga je in het weekend doen? (het ligt eraan)
12 Wat vind jij ervan als kinderen van twaalf jaar alcohol drinken? (leiden tot)
13 Kun/kon jij gemakkelijk werk vinden? (aan de slag)
14 Mijn zoontje heeft een bal door de ruit van de buren geschopt. Moet ik die ruit betalen? (verantwoordelijk)
15 Wat vond je het moeilijkst in je nieuwe baan? (wennen aan)

Schrijfopdracht

Maak een samenvatting van de tekst volgens de opbouw die hieronder staat.

Buitenlanders die (tijdelijk) in Nederland werken, hebben te maken met cultuurverschillen. Als buitenlanders zich niet bewust zijn van deze cultuurverschillen,

____

Dat is niet prettig voor ______________, maar ook niet voor ______________

Veel bedrijven geven hun buitenlandse werknemers daarom ______________

In die trainingen blijkt dat de meeste buitenlanders verbaasd zijn over

______________ (dit is ongeveer: de wens om het altijd eens te worden, om samen besluiten te nemen), ______________ en ______________

In een van deze cursussen wordt een verklaring gegeven voor deze drie dingen.

Ze worden verklaard op basis van de geografische kenmerken van Nederland.

Bijvoorbeeld: ______________ is belangrijk in Nederland, want ______________

Er

Het woord *er* heb je vast al vaak gezien, en waarschijnlijk ook gebruikt. Hoe werkt het eigenlijk?

Oefening 1

Reageer op de onderstaande vragen. Gebruik de informatie tussen haakjes en probeer in je reactie het woord *er* te gebruiken. Geef steeds een complete zin als reactie.

1 Kom je uit Londen? (ja, geboren)
2 Kan ik mevrouw Veldman spreken? (sorry, is, vandaag niet)
3 Heb je vandaag veel afspraken? (ja, heb, vijf)
4 Hoeveel auto's zie je op deze foto? (zie, drie)
5 Waren de studenten kritisch over de lessen? (ja, veel commentaar hebben op)
6 Vinden Nederlanders privacy belangrijk? (ja, gesteld zijn op)
7 Wat is typisch voor de Nederlandse werkcultuur? (vergadercultuur)
8 Wat mis je het meest in het Nederlandse landschap? (geen bergen)
9 Was er nog telefoon voor mij? (ja, iemand, heeft gebeld)
10 Heb je veel nieuws? (ja, veel, is gebeurd)

Zoals je ziet, zijn er meer functies van er:

1 *er* vervangt een plaats
Ja, ik ben er geboren.

2 *er* vervangt iets wat we tellen
Ja, ik heb er vijf.

3 *er* vervangt een deel van een prepositiegroep
Ja, ze hadden er veel commentaar op.

4 *er* komt voor een indefiniet subject
Er is een vergadercultuur.

En ook:

Er is behoefte aan ruimte.	geen lidwoord
Er is een vergadercultuur.	een
Er zijn geen bergen.	geen
Er wonen 3 miljoen allochtonen hier.	telwoord
Er is (n)iets mis met mijn telefoon.	(n)iets
Er heeft (n)iemand voor jou gebeld.	(n)iemand
Er is veel / weinig gebeurd.	veel / weinig
Wie heeft **er** gebeld?	wie
Wat is **er** gebeurd?	wat

Er kun je soms vervangen door *hier* maar vaker door *daar*. Dan heeft het meer nadruk.
Dit kan bij functie 1 (*er* vervangt een plaats) en 3 (*er* vervangt een deel van een prepositiegroep)

'Werk je in het centrum?'	'Ja, ik werk **er** en ik woon **er** ook.'
	'Ja, ik werk **daar** en ik woon **daar** ook.'
	'Ja, **daar** werk ik en **daar** woon ik ook.'
'Ken je Madurodam?'	'Ja, ik heb **er** een artikel over gelezen.'
	'Ja, ik heb **daar** een artikel over gelezen.'
	'Ja, **daar** heb ik een artikel over gelezen..'

Let op de positie van *er* in de zin:

Ja, ik ben **er** geboren.
Ja, ik heb **er** vijf.
Ja, ze hadden **er** veel commentaar op.
Er is een vergadercultuur.

Sommige preposities veranderen in een zin met *er/hier/daar*:

met → mee	Ik werk graag met deze computer.	Ik werk **hier** graag **mee**.
tot → toe	Hij behoort tot het vaste team.	Hij behoort **er** ook **toe**.
naar → naartoe (bij beweging)	Wij gaan ook naar de vergadering.	Wij gaan **er** ook **naartoe**.

van → vandaan (bij beweging)	Hij kwam laat van zijn werk.	Hij kwam er laat vandaan.
uit → vandaan (herkomst)	Zij komt ook uit Japan.	Zij komt daar ook vandaan.

Oefening 2

Beantwoord de volgende vragen en gebruik *er* of *daar*.

Voorbeeld:
Denk je aan die vergadering van vanmiddag?
Ik denk eraan. / Ik denk daaraan.
Ik zal eraan denken. / Ik zal daaraan denken.
Ik had er niet aan gedacht. / Ik had daar niet aan gedacht.
Daar had ik niet aan gedacht.

1 Ga je vanavond naar die video kijken?
2 Denkt hij nooit aan zijn afspraken?
3 Begin je maandag met je nieuwe baan?
4 Praten jullie gemakkelijk over zulke dingen?
5 Hoe lang heb je op dat telefoontje gewacht?
6 Kun je niet om zo'n opmerking lachen?
7 Heb je last van dat open raam?
8 Gaat zij morgen naar de vergadering?
9 Ben je bekend met de vergadercultuur?
10 Houden ze rekening met lunchtijden?
11 Heb je plezier in je werk?
12 Zorgt hij voor de notulen?
13 Hebben we al geantwoord op die brief van het ministerie?
14 Zijn jullie bang voor een negatief besluit?
15 Heb je ook nog tijd voor andere dingen?
16 Let je op de datum van de volgende vergadering?
17 Ga je nog door met een cursus Nederlands?
18 Doe je ook mee aan dat sporttoernooi?
19 Hangt het project van de financiering af?
20 Wil je nadenken over een nieuwe naam voor ons bedrijf?

Het woord 'gezellig' is fantastisch

Michael O'Shea (32) komt uit Engeland. Drie jaar geleden kwam hij naar Amsterdam, waar hij werkt als IT-ingenieur.

Waarom werk je in Nederland?
Ik kwam een Nederlandse vrouw tegen in Londen. Ze was daar een weekend op vakantie. Daarna bezocht ik haar een aantal keer in Amsterdam. Die stad vond ik zo leuk, dat ik besloot om er te gaan wonen.

Was het moeilijk om hier een leuke baan te vinden?
Nee, eigenlijk niet. Toen ik hier drie jaar geleden kwam was er nog genoeg vraag naar IT-specialisten. Maar een 'leuke' baan vinden is weer een ander verhaal. Leuke banen zijn uitzonderingen. De meeste banen zijn prima en sommige zijn afschuwelijk. Toch betwijfel ik of dat te maken heeft met het land waar je werkt. In Nederland heb ik drie banen gehad die afschuwelijk, prima en fantastisch waren.

Is de werksfeer hier heel anders dan in uw land van herkomst?
Ja, de werksfeer is best wel anders. Door de Nederlandse wet kunnen mensen zich om de minste reden ziek melden. Soms lijkt het wel alsof dat al mag als iemand geen zin heeft om uit bed te komen. Zelf voel ik me al schuldig als ik drie dagen per jaar een heftige griep heb. Dat terwijl veel van mijn collega's daarvoor zonder aarzelen twee weken vrij zouden nemen. Sommigen melden zich standaard drie of vier dagen per maand ziek. Waarschijnlijk ligt dat niet aan mijn collega's, maar aan de prikkels die uitgaan van het Nederlandse systeem.
Een ander verschil is de luidruchtigheid van Nederlanders. Ondanks dat dit goed is voor de werksfeer, leidt het bij mij soms tot conflicten met collega's. Het is hier heel normaal om tussen het werk door een praatje te maken op luide toon. Zodra dat gebeurt, kan ik me erg slecht concentreren op mijn werk. Ik probeer er niet over te klagen, omdat de meeste collega's het een welkome afleiding schijnen te vinden. Als ik er wat van zeg, wordt me dat in ieder geval niet in dank afgenomen. Daarom ga ik nu meestal maar koffie halen als het lawaaiig is.

Welke typisch Nederlandse gewoontes ervaart u als positief?
Ik vind het leuk hoe de Nederlanders waarde hechten aan hun culturele erfgoed en tradities. Dat gebeurt niet op een ouderwetse manier, maar creëert wel een soort saamhorigheid. Voorbeelden hiervan zijn: sinterklaas, Koninginne-

dag en beschuit met muisjes. Dat soort dingen heb je in Engeland niet. Misschien omdat onze bevol-
80 king niet zo klein is.
De Nederlanders zijn een leuke mix tussen de Duitsers en de Fransen. Er zitten veel Franse woorden in het Nederlands en
85 beide landen hebben hun eigen cabaretiers. De Nederlandse steden zijn net zo goed onderhouden als de Duitse. Hollanders zijn net zo goed georganiseerd als de
90 Duitsers, maar toch minder rigide.
Nederlanders spreken hun talen goed. Als ze in een Engelstalig land gewoond of gereisd hebben nemen ze het lokale accent over.
95 Ik was er soms dagenlang van overtuigd dat ik een Ier, Schot of Amerikaan ontmoet had, die later een Nederlander bleek te zijn.
Toen ik eens bij een popconcert
100 was, was ik er verbaasd over dat bijna het volledige Nederlandse publiek de teksten kende van de meest obscure liedjes uit de jaren zeventig.
105 Nog een interessant fenomeen: het woord 'asociaal'. In Engels wordt 'anti-social' ook wel gebruikt, maar niet zo vaak en op dezelfde manier als hier. In Engeland bete-
110 kent 'asociaal' ongemanierd of onverschillig. Nederlanders gebruiken het woord als iemand afwijkend gedrag vertoont.
Het woord 'gezellig' is ook fan-
115 tastisch. Als ik het de afgelopen drie jaar goed heb leren begrijpen beschrijft het een intieme sfeer binnen een groep mensen. Of het er nou drie in een kroeg zijn of
120 dertigduizend op een feest, er kan 'gezelligheid' zijn.
Tot slot heb ik ook veel waardering voor hoe flexibel en dynamisch er met de Nederlandse wet
125 wordt omgesprongen. In veel andere landen denken mensen dat een geschreven wet niet meer te veranderen is, maar in Nederland springen ze daar veel gemakkelij-
130 ker mee om. Op die manier kan men experimenteren om de juiste oplossing te vinden.

Waaraan zult u nooit kunnen wen-
135 *nen op de Nederlandse werkvloer?*
Bij de drie banen die ik hier had heb ik iets absurds ontdekt. Ik heb talloze vergaderingen meegemaakt, waarbij negen van de tien
140 deelnemers het eens waren over de oplossing van een bepaald probleem. Als iemand het niet met de oplossing eens was, werd de beslissing vervolgens verworpen.
145 Er is maar een onbenullige reden voor nodig om een goede oplossing over boord te gooien. Het is namelijk beter om de meerderheid teleur te stellen, dan om één per-
150 soon ongelukkig te maken. Anders is het niet meer 'gezellig'.

Bijdrage van een forum op de site van *de Volkskrant*

Vragen bij de tekst (op blz. 132)
Kies het juiste antwoord.

1 Wat antwoordt Michael op de vraag of het moeilijk was om hier een leuke baan te vinden?

a Nee, dat was niet moeilijk. Er waren veel IT-specialisten nodig.
b Als buitenlander kun je wel een baan vinden, maar een leuke baan kun je moeilijk krijgen.
c Hij kon wel een baan vinden maar een leuke baan vinden is in elk land moeilijk.

2 Hoe gaat Michael nu om met het feit dat zijn collega's tijdens het werk zitten te praten?

a Hij zegt dat hij dat niet prettig vindt.
b Hij praat even mee, omdat hij zich toch niet kan concentreren.
c Hij gaat even weg.

3 Welke typisch Nederlandse gewoonte vindt Michael positief?

a Dat Nederlanders op een moderne manier hun tradities bewaren.
b Dat Nederlanders accenten overnemen als ze Engels spreken.
c Dat Nederlanders flexibel en dynamisch zijn.

4 In het laatste stukje staat: Bij de drie banen die ik hier had heb ik iets absurds ontdekt.

Wat vond Michael absurd?
a Vergaderingen in Nederland zijn heel gezellig.
b Iedereen moet het eens zijn met een beslissing, anders gaat het niet door.
c Pas als 9 van de 10 mensen het eens zijn, kan er een beslissing worden genomen.

Scheiding van werk en privé

Faizal Nabibaks (29) komt uit Paramaribo, Suriname. Hij is creative director bij EtnoMediair.com, een bureau voor etnomarketing en consultancy.

Waarom werkt u in Nederland?
Na mijn VWO-opleiding wilde ik econoom worden, maar de opleidingsmogelijkheden op de Universiteit van Suriname schoten tekort. Bovendien kon een afgestudeerde econoom in Suriname weinig ervaring opdoen, omdat de economie van Suriname niet veel voorstelt. Daarom vertrok ik op mijn twintigste naar Nederland. Tijdens mijn studie bedrijfseconomie aan de Erasmus Universiteit heb ik diverse studentenbaantjes gehad. De laatste jaren van mijn studie ben ik fulltime gaan werken als internetconsultant.

Was het moeilijk om hier een leuke baan te vinden?
De krapte op de IT-markt en de groei van internet maakten het enkele jaren geleden makkelijk om een baan te vinden. Toch waren dat niet per definitie leuke banen. Ik wist dat het belangrijk was om mijn studie bedrijfseconomie te combineren met 'iets wat met IT te maken heeft'. Daarom koos ik voor de afstudeerrichting marketing met als specialisatie informatietechnologie. Dat betekende dat ik in het IT-werkveld kon zoeken naar een baan met inhoud, die goed aansloot bij mijn interesse. Omdat ik op dat moment precies wist wat ik wilde, kon ik snel deze leuke baan vinden.

Is de werksfeer hier heel anders dan in uw land van herkomst?
Ik heb in Suriname twee jaar op de universiteit gezeten en heb in die periode ook parttime gewerkt. Emoties spelen een grote rol op de werkvloer van Surinaamse bedrijven. Als een collega iets verkeerd doet tijdens het werk, dan is het moeilijk om die collega te wijzen op zijn fouten. Men neemt alles heel persoonlijk en er ontstaat ruzie. Daarom worden sommige zaken gewoon niet besproken, hetgeen de bedrijfsvoering in gevaar brengt. In Nederland is het heel normaal om fouten tijdens het werkoverleg te bespreken.
In Suriname is er een strikte scheiding tussen leidinggevenden en werknemers. Men heeft het altijd over 'de baas'. 'De baas' duldt geen tegenspraak van werknemers en in discussie gaan is vrijwel uit den boze. In Nederland wordt het woord 'baas' niet vaak gebruikt. Iemand die kennis van zaken heeft zou zijn leidinggevende makkelijk kunnen tegenspreken. Met goede argumenten kan

hij ervoor zorgen dat een plan wordt gewijzigd.
230 In Suriname houdt men van uitstellen. Bepaalde zaken worden makkelijk uitgesteld en gaan uiteindelijk niet door. Deadlines en afspraken bestaan alleen op
235 papier. Dat geldt niet voor elk bedrijf natuurlijk, want bedrijven die wel snel en strak opereren, kunnen daar een concurrentievoordeel uit halen. Helaas zijn
240 deze bedrijven afhankelijk van hun omgeving en van de overheid. Daardoor verlaagt het tempo.
Soms krijg ik het gevoel dat Surinamers geen zin hebben om
245 geld te verdienen.
In Nederland is je collega iemand die je verplicht op het werk ziet. Een collega weet niet veel over je privé-leven. Suriname heeft een
250 kleine gemeenschap en voor je het weet ben je goed bevriend met je collega. Dan is het nog moeilijker om die collega te wijzen op fouten. Typisch Surinaams is het niet na-
255 komen van een afgesproken tijdstip. Als een Surinamer aangeeft dat hij er om één uur is, wordt er niet gek opgekeken als hij om half vijf nog niet is verschenen.

260 *Welke typisch Nederlandse gewoontes ervaart u als positief?*
Ik vind het fijn dat je op de werkvloer met je collega kunt praten, discussiëren of ruziën, zonder dat
265 het persoonlijk wordt. Na een stevige woordenwisseling over het werk kun je nog samen een biertje drinken tijdens de borrel.
De stiptheid, het nakomen van
270 afspraken en snel reageren ervaar ik als positief, omdat dit de smeerolie is voor bedrijfsprocessen. Maar dat zijn geen typisch Nederlandse gewoontes, want
275 Amerikanen kunnen even goed stipt zijn en snel reageren.

Waar zult u nooit aan kunnen wennen op de Nederlandse werkvloer?
280 Als je op het werk een keer een lekker Surinaams hapje of een Surinaams broodje eet dat zwaarder gekruid is dan het gemiddelde broodje kaas, dan
285 klaagt iedereen ineens over de 'knoflookgeur'. Maar diep in hun hart willen ze graag een hap uit je broodje!
Verder, het vooroordeel dat som-
290 mige mensen hebben over personen met een andere huidskleur. Het scheelt soms als je een pak aan hebt, maar men kijkt op je neer als je als de gemiddelde
295 burger rondloopt.

Bijdrage van een forum op de site van *de Volkskrant*

Vragen bij de tekst (op blz. 135)
Kies het juiste antwoord.

1 Waarom kwam Faizal naar Nederland?

a Omdat hij in Nederland (verder) ging studeren.
b Omdat hij als econoom geen werk kon vinden in Suriname.
c Omdat hij in Nederland een baan kon krijgen als internet-consultant.

2 Waarom is het in Suriname moeilijk om een collega te wijzen op fouten?

a Dat is een taak van de baas. Zoiets mogen collega's niet doen.
b Dan komt het hele bedrijf in de problemen.
c Op kritiek wordt vaak emotioneel gereageerd.

3 Wat zegt Faizal in de laatste alinea over discriminatie vanwege zijn huidskleur?

a Hij voelt soms discriminatie; hij kan bijvoorbeeld geen hoge functie krijgen.
b Hij voelt soms discriminatie, bijvoorbeeld als hij gewone kleren aan heeft (geen pak).
c Hij voelt soms discriminatie maar dat komt meer door zijn kleding dan door zijn huidskleur.

Vocabulaire

bepaald (r. 231)
Ik voel me wel thuis in Nederland, maar ik mis bepaalde dingen zoals mijn familie, het weer en het eten.

eigenlijk (r. 17)
'Kom je vanavond bij ons eten?' 'Eigenlijk wil ik gewoon thuisblijven, want ik heb een drukke dag gehad.'

hetgeen (r. 211)
Ik heb Olivier niet meer gezien, hetgeen me erg spijt. Ik wilde hem graag even spreken.

meemaken – maakte mee – meegemaakt (r. 138)

Ik heb vannacht toch iets geks meegemaakt. Er werd om 5.00 uur gebeld. Ik keek uit het raam en ik dacht dat de buurman dronken voor de deur stond. Ik ging naar beneden en toen was het een onbekende. Ja, zoiets kan gebeuren als je je bril niet op hebt.

ontstaan – ontstond – is ontstaan (r. 209)

Het conflict is ontstaan toen die nieuwe collega bij ons kwam werken. Toen is het begonnen.

overtuigen van – overtuigde – overtuigd (r. 96)

Ik geloof echt niet dat jouw plan beter is dan mijn plan. Nee, je kan me daar niet van overtuigen.

schelen – scheelde – gescheeld (r. 292)

1 Het is moeilijk om als buitenlander een baan te vinden. Het scheelt als je al ervaring in je eigen land hebt, dan is het makkelijker.
2 'Weet je dat Henk ontzettend kwaad is op jou?' 'Ja, maar dat kan me niet schelen. Henk is mijn vriend niet meer.'
3 Het salaris van een leraar in mijn land is veel hoger dan het salaris van een Nederlandse leraar. Het scheelt ongeveer € 500,-. Dat is een groot verschil.

schijnen – scheen – geschenen (r. 62)

1 Het schijnt dat de werkloosheid weer toeneemt, maar ik weet het niet zeker.
2 Het is niet zo koud want de zon schijnt.

uitgaan van – ging uit – is uitgegaan (r. 48)

Men gaat ervan uit dat het anderhalf jaar duurt voordat je een andere taal behoorlijk spreekt. Dat is niet altijd zo, maar meestal wel.

verkeerd (r. 205)

Ik heb een verkeerd telefoonnummer, daarom kon ik je niet bereiken. Wat is het goede nummer?

verschijnen – verscheen – is verschenen (r. 259)

Harold had beloofd dat hij op het feest zou komen, maar hij is niet verschenen.

Vocabulaire-oefening
bij de beide interviews

Herschrijf de onderstreepte zinnen of zinsdelen. Gebruik daarbij het woord tussen haakjes.

1 Oké, ik heb het beloofd. Ik ga mee zwemmen, maar als ik eerlijk ben heb ik er niet veel zin in. = (eigenlijk) ______________

2 Ik heb gehoord dat het examengeld wordt verhoogd, maar ik weet het niet zeker. = (schijnen) ______________

3 Deze studie is geen goede keuze geweest voor mij. = (verkeerd) ______________

4 Wanneer kunnen we de bijeenkomst het best plannen? Zijn er ook dagen dat je niet kunt? = (bepaald) ______________

5 Heb je in het weekend nog iets leuks beleefd? = (meemaken) ______________

6 Hoe vaak komt dat blad uit? = (verschijnen) ______________

7 Nederlanders zijn behoorlijk afstandelijk, wat ik niet prettig vind. = (hetgeen) ______________

8 Ik kan een huis krijgen. Het huis is nogal klein, maar dat is voor mij niet zo'n probleem want ik woon toch alleen. Ik heb niet veel ruimte nodig. = (schelen) ______________

9 'Hoeveel mensen komen er op je feest?' 'Ik denk dat er 30 mensen komen.' = (uitgaan van) ______________

10 Ik weet echt zeker dat ik de cd weer aan je heb teruggegeven. = (overtuigen van) ______________

11 'Waarom regel jij die zaken en je baas niet?' 'Dat is gekomen in de tijd dat mijn baas ziek was.' = (ontstaan) ______________

Toepassingsoefening
Werk in tweetallen. Reageer met het woord tussen haakjes.

1 Zullen we dit weekend iets afspreken? (eigenlijk)
2 Hoe oud is deze stad/plaats? (ontstaan)
3 Meisjes mogen in Nederland op sommige scholen geen hoofddoek dragen. Wat vind je daarvan? (bepaald)
4 Kun je de dvd van die film al in de winkel kopen? (verschijnen)
5 Als je de eindtest niet maakt, krijg je geen certificaat. (schelen)
6 Waarom ben je zo laat? (verkeerd)
7 Ik vind dat verhaal van Paola wel vreemd. Geloof jij dat? (overtuigen)
8 Gisteren stond ik te wachten bij de bushalte. Toen de bus kwam, stopte die niet. Hij reed gewoon door. (meemaken)
9 Waarom wordt dat gebouw niet meer gebruikt? (schijnen)
10 Is die copyshop goedkoper dan de andere copyshops? (schelen)

Spreekopdracht

Bespreek het interview met iemand die de andere tekst heeft gelezen.
Hoe vergelijk je twee dingen met elkaar? Let op de constructies:

In Nederland praten de mensen *harder dan* in Finland.
Het leven is hier *minder gestresst dan* in Polen.
Werknemers in Engeland kunnen *niet zo gemakkelijk* vrij nemen *als* in Nederland.
De kans op een baan was in Frankrijk *even groot als* hier.
Vergeleken met Japan, werken de mensen hier vrij *kort*.
Nederlanders hebben een *korte* lunchpauze, *in vergelijking met* Spanje en Italië.

Noem een paar opvallende verschillen tussen Nederland en jouw land, wat betreft de situatie als werknemer of als student. Let op het gebruik van de constructies om zaken te vergelijken.

Beantwoord nu zelf de vragen uit de interviews.

Spreekopdracht

- Iemand uit jouw land komt naar Nederland. Hij vraagt je om informatie over de Nederlandse gewoontes. Welke drie dingen moet hij absoluut <u>niet</u> doen?
- Een Nederlander gaat naar jouw land. Welke drie dingen moet hij absoluut <u>niet</u> doen in jouw land?

Oefening 3

Geef antwoord op de volgende vragen. Gebruik in je antwoord *er* of *daar*.

1 Ben je ooit in Barcelona geweest?
2 Liggen je sleutels misschien thuis?
3 Ik heb zin in koffie. Jij ook?
4 En? Is er nog nieuws?
5 Beschrijf je kamer. Wat staat (ligt/hangt) er?
6 Heb jij ook in Duitsland gewerkt?
7 Hoeveel mensen kunnen er ongeveer in deze ruimte zitten?
8 Hoeveel kritiekpunten heb je in de tekst gevonden?
9 Heb je behoefte aan contact met Nederlanders?
10 Kom je uit Australië?
11 Heb jij bewust voor deze cursus gekozen?
12 Ben jij het eens met dat besluit?
13 Hoeveel buitenlanders wonen er in Nederland?

Oefening 4

Interview elkaar. Stel de vragen aan elkaar en reageer met *er* of *daar*.

Voorbeeld: Waarom houd je van het Nederlandse klimaat?
Antwoord: Ik houd ervan omdat het verschillende seizoenen heeft.

1	Waarom heb je geen zin in	drop? koffie? een broodje kaas?
2	Hoeveel tijd besteed je aan je	werk? sociale contacten? eten koken?

3	Met wie praat je wel eens over	je opleiding? je hobby's? je salaris?
4	Wanneer denk je aan je	toekomst? land? werk?
5	Waarom heb je moeite met	de directheid van de Nederlanders? het Nederlands? de werksfeer?

Bedenk zelf een vraag met: kijken naar / gewend zijn aan / belangstelling hebben voor

Het met iemand / iets eens zijn (of niet)

Het eens zijn

Dat vind ik ook.	Het Nederlandse schoolsysteem is ingewikkeld. Dat vind ik ook.
Je hebt gelijk.	Nederlanders vergaderen veel. Je hebt gelijk.
Ik ben het met je eens.	Portugezen zijn formeler dan Nederlanders. Ik ben het met je eens. / Dat ben ik met je eens.
Ik ben het ermee eens.	Sinterklaas is een leuk feest. Ik ben het ermee eens. / Daar ben ik het mee eens.

Het een beetje eens zijn

Dat is misschien wel zo, maar...	Dit woordenboek is beter. Dat is misschien wel zo, maar het is ook veel duurder.

Dat hangt ervan af.	Een warme lunch is gezonder dan een broodje kaas. Dat hangt ervan af. Warm eten kan ook te vet zijn.

Het niet eens zijn

Dat vind ik niet.	Kleding is in Nederland erg duur. Dat vind ik niet.
Ik ben het niet met je eens.	Nederlanders zijn netjes gekleed. Ik ben het niet met je eens. / Dat ben ik niet met je eens.
Ik ben het er niet mee eens.	Nederlanders praten hard. Ik ben het er niet mee eens. / Daar ben ik het niet mee eens.
Wat een onzin!	Nederlanders zijn direct omdat er geen bergen zijn. Wat een onzin!

DVD Luisteropdracht

Luister naar het gesprek. Je hoort drie personen. Ze praten over het sinterklaasfeest.

A Sinterklaas vind ik maar een raar feest. Je kinderen vertellen dat sinterklaas bestaat, dat is toch eigenlijk gewoon liegen tegen je kinderen?

B Ja, dat vind ik ook. We leren onze kinderen dat het heel belangrijk is om altijd de waarheid te vertellen, en dan liegen we zelf.

C Wat een onzin! Het is gewoon een oude traditie, met veel symbolen en rituelen. En een van de rituelen is dat we kinderen laten geloven in sinterklaas. Het gaat er vooral om dat ze geloven in iemand die cadeautjes geeft en lief is.

A Dat is misschien wel zo, maar veel kinderen vinden sinterklaas niet lief, maar eng. Veel kinderen zijn hartstikke bang voor hem, en ze worden er erg zenuwachtig van.

C Ach, dat hangt van de ouders af. Als ouders sinterklaas gebruiken om hun kinderen bang te maken, en als ze dreigen met sinterklaas, zo van 'Als je niet lief bent, krijg je niks', ja, dan is het geen leuk feest natuurlijk. Maar als het gewoon lekker spannend is voor kinderen, als ze bijna zeker weten dat het allemaal goed komt, nou, wat geeft het dan?

B Daar ben ik het mee eens. Als de ouders een beetje normaal doen, worden kinderen er ook niet gek van. Dus niet liegen, maar het hele feest als een soort toneelstuk presenteren.

A Ja, je hebt gelijk.

Spreekopdracht

Werk in tweetallen. Geef je mening over het Sinterklaasfeest en een argument. De ander reageert. Reageer ook daar weer op. Doe datzelfde voor de stellingen hieronder.

- Een lunch in de kantine is duur.
- Overwerken is niet normaal in Nederland.
- Het is moeilijk om contact te krijgen met Nederlanders.
- Nederland is een democratisch land.
- Het woord 'gezellig' gebruikt men vaak in het Nederlands.
- Nederlanders zijn nieuwsgierig.
- Nederlanders hebben veel vrije dagen.

Prepositie-oefening

Vul de juiste prepositie in. Controleer daarna je antwoorden. Noteer de combinaties die je fout had.

Hallo collega's!

Zijn jullie lekker ________ vakantie geweest? En nu weer ________ de slag! Moeten jullie ook weer wennen ________ het werk? Hebben jullie ook zo'n moeite ________ de maandagochtend?
Wij, Ronald en Joost, zijn er ________ overtuigd dat dit een goed moment is ________ een feest! Iedereen houdt toch ________ feesten? Wie heeft daar nou geen zin ________?
We hebben al wel een paar plannen ________ papier, maar we zoeken nog ________ andere ideeën. We willen ________ dit feest gezelligheid combineren ________ serieuzere zaken. We merken bijvoorbeeld dat veel mensen niet veel weten ________ het bedrijf.

Vaak zijn jullie verbaasd __________ beslissingen, of hebben jullie er commentaar __________, maar zeggen jullie niets __________ degene die de beslissing heeft genomen. Als we __________ ons heen kijken, merken we dat er behoefte is __________ gesprekken __________ elkaar __________ allerlei dingen die te maken hebben __________ het werk. We zijn op zoek __________ een manier om deze gesprekken te stimuleren, zonder dat het leidt __________ conflicten. Open gesprekken, __________ een prettige manier, daar gaat het __________! Open gesprekken, __________ waardering en begrip __________ elkaar. We denken dat dit mogelijk is __________ de vorm __________ een feest.
Wil je helpen organiseren? Stuur dan een e-mail __________ een van ons.
De eerste bijeenkomst is __________ 18 april, __________ 20.30 uur, __________ Ronald thuis (Hereweg 98B).
We hopen iets __________ jullie te horen!

Ronald Stelman – rstelman@abc.nl
Joost van Tilburg – jtilburg@abc.nl

Luisteropdracht: Zij moeten zich aanpassen

Lees eerst de vragen en kijk dan naar het beeldfragment. Beantwoord de vragen.

1. Wat is de kritiek van Fatima-Zora Hadjar op het Nederlandse onderwijs?
2. Wat bedoelt ze met: Moslim zijn, dat doe je maar thuis.
3. Waarom passen scholen zich aan de populatiegroep (=allochtone leerlingen) aan?
4. Op het schoolplein vraagt de interviewer aan ouders: Vinden jullie het jammer dat er weinig Hollandse kinderen op deze school zitten?
   - Wat is de reactie van de eerste vrouw (de buitenlandse vrouw)?
   - Wat is de reactie van de tweede vrouw (de Nederlandse vrouw)?
5. De derde moeder die geïnterviewd wordt, vertelt over integratie op school. Wat doet de school aan integratie? Is dat genoeg?
6. Welke typisch Nederlandse dingen worden genoemd?
7. Waarom is het belangrijk dat de buitenlandse kinderen weten wat polders, molens en dergelijke zijn?

Spreekopdracht

Welke belangrijke namen en gebeurtenissen uit de Nederlandse cultuur en geschiedenis moeten kinderen aan het eind van de basisschool kennen?
Je ziet hier elf namen en gebeurtenissen: beoordeel of je vindt dat kinderen ze wel of niet moeten kennen. Kennen is hier: weten wie of wat het is. Zet een **x** als je het niet nodig vindt, een **v** als je het wel nodig vindt.
Vul daarna het schema in voor de andere cursisten in je groepje.
Bespreek met elkaar de verschillen: vertel aan elkaar waarom je bepaalde gebeurtenissen of personen belangrijk vindt, of waarom niet.

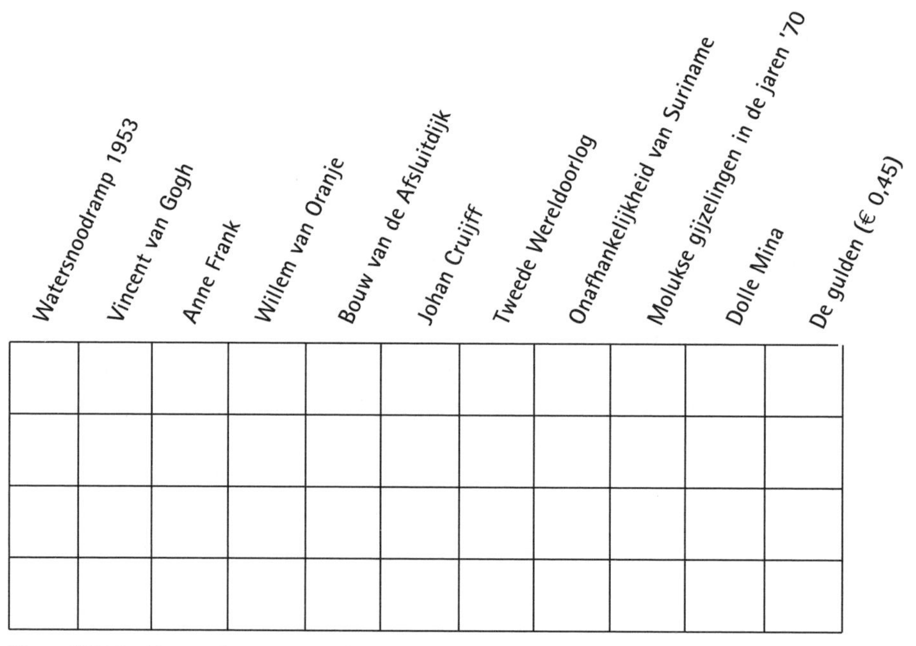

Naar: *VPRO-gids*, 20 t/m 26 september 2003

Luisteropdracht

- Welke provincies van Nederland ken je? Welke vooroordelen ken je over de verschillende provincies?
- Luister naar het liedje.

- Welke negatieve dingen noemt de zanger over de plek waar hij is?
- Welke dingen van Brabant mist hij?
- Waarom is Brabant zo belangrijk voor hem?

Brabant

Een muts op mijn hoofd
Mijn kraag staat omhoog
Het is hier ijskoud
Maar gelukkig wel droog
De dagen zijn kort hier
De nacht begint vroeg
De mensen zijn stug
En er is maar een kroeg
Als ik naar mijn hotel loop
Na een donkere dag
Dan voel ik mijn huissleutel
Diep in mijn zak

Refrein:
Ik loop hier alleen
In een te stille stad
Ik heb eigenlijk nooit last
Van heimwee gehad
Maar de mensen ze slapen
De wereld gaat dicht
En dan denk ik aan Brabant
Want daar brandt nog licht

Ik mis hier de warmte
Van een dorpscafé
De aanspraak van mensen
Met een zachte G
Ik mis zelfs het zeiken
Op alles om niets
Was men maar op Brabant
Zo trots als een Fries
In het zuiden vol zon
Woon ik samen met jou
Het is daarom dat ik zo
Van Brabanders hou

Refrein

De Peel en de Kempen
En de Meierij
Maar het mooiste aan Brabant
Ben jij, dat ben jij

Uitgevoerd door Guus Meeuwis

REFLECTIE

Dit is het eind van een hoofdstuk. Denk erover na of je het volgende wel of niet kunt.

- ☐ Je kunt met anderen van gedachten wisselen over cultuurkenmerken.
- ☐ Je kunt positief of negatief ingaan op de mening van anderen.
- ☐ Je kunt de belangrijkste argumenten en conclusies in een duidelijk opgebouwde tekst herkennen.
- ☐ Je kunt de hoofdlijnen van een artikel schriftelijk weergeven.
- ☐ Je kunt de grammatica van dit hoofdstuk toepassen: je begrijpt het gebruik van het woord *er* en je kunt het gebruiken.
- ☐ Je kunt op meer manieren twee zaken met elkaar vergelijken.
- ☐ Je kunt op meer manieren aangeven of je het wel of niet eens bent met anderen.
- ☐ Je kunt de hoofdlijnen begrijpen uit een beeldfragment waarin met een accent wordt gesproken.
- ☐ Je kunt de hoofdgedachte uit een liedje halen.

THEMA 6
Gezondheid

Leesopdracht

Beantwoord de volgende vragen
Er is een onderzoek gedaan naar het gebruik van cannabis (blowen) onder 7600 jongeren (15-24 jaar) in Europa.

Wat denk je?
Antwoord op de volgende manier: Ik denk dat ...
Volgens mij ...

1 Wie blowen vaker, mannen of vrouwen?
2 Wie blowen vaker, studenten of jongeren met een goede baan?
3 Hoeveel procent van de Nederlandse jongeren heeft wel eens geblowd?
4 Het drugsbeleid (de regels) is in Frankrijk erg streng. Hoeveel procent van de Franse jongeren heeft wel eens geblowd?
5 Welk Europees land is koploper (nummer 1) in het gebruik van cannabis?
6 Welke reden om drugs te gebruiken geven de meeste jongeren?

Als je de vragen beantwoord hebt, krijg je de tekst over het onderzoek. Kloppen jouw ideeën met de werkelijkheid?

Te veel alcohol? Eigen schuld dikke bult

Een 16-jarig meisje werd onlangs opgenomen in het ziekenhuis met een alcoholpromillage van 3,5. Ze had in een discotheek 11 likeurtjes gedronken. De politie stelde direct een vooronderzoek in naar de alcoholvergiftiging van het meisje. Het onderzoek moet uitwijzen of het barpersoneel de tiener de sterke drank heeft geschonken, wat immers verboden is aan kinderen onder de achttien jaar. Wie moet verantwoordelijk worden geacht: het meisje, haar vriend, haar ouders of het barpersoneel? Hieronder vindt u een aantal meningen.

Eigen schuld dikke bult. Als ik Miranda voor de radio hoor en haar verhaal in de krant lees, dan heeft ze snel deskundige hulp nodig en haar ouders ook. De bareigenaar heeft geen enkele schuld evenmin als de barkeeper. Hier zijn alleen de ouders verantwoordelijk.
D. Heeringa

→

Het is te gek voor woorden dat de kroegbazen altijd de schuld krijgen na weer zo'n incident. Het meisje had een verklaring van de psychiater om haar nek moeten hangen zodat de barkeeper kon zien dat het niet goed was haar likeur te schenken. Het komt nog zo ver dat iedereen een chip bij zich moet hebben of hij een zware of lichte drinker is. Miranda vertelde zelf in de krant dat ze agressief werd zonder alcohol.
H. SCHEPER

Ik ben geschrokken van het feit dat de meeste mensen van mening zijn dat minderjarigen verantwoordelijk zijn voor hun eigen drinkgedrag. Zijn ze zelf nooit puber geweest? De meeste jongeren van die leeftijd zien bijna geen gevaar. Ze hebben nog niet genoeg verantwoordelijkheidsgevoel en denken dat alles kan. Ik vind dus niet dat de minderjarige jongere alleen verantwoordelijk is voor zijn/haar drinkgedrag, maar dat horeca, overheid en ouders samen hun bijdrage moeten leveren.
E.K. DE BOER

Mijn mening is dat de vriend medeplichtig is omdat je je vriendin niet zoveel laat drinken dat ze in een coma terechtkomt. En ik vind het stom van de gemeente dat er een aanklacht komt tegen de bar. De eigenaar kan er toch niks aan doen dat zij zoveel drinkt.
MARTIN SMIT

Mijn mening is dat zowel het meisje, haar vriend als de horecabaas verantwoordelijk is voor wat

75 er is gebeurd. Maar ook de ouders zijn verantwoordelijk omdat je kinderen moet wijzen op de gevaren van te veel drinken en roken. En dat gebeurt veel te weinig!
80 J. HILBRANDS

Ik heb de artikelen in de krant gelezen en het meisje ook op tv gezien. Ze hadden haar die likeur-
85 tjes niet mogen verkopen, maar als ze iemand bij zich had gehad die ouder was dan 18 jaar, dan had die de drank ook voor haar kunnen bestellen. Ik vind nog
90 altijd dat ze de drank zelf heeft opgedronken en dat ze daar absoluut zelf verantwoordelijk voor is en niemand anders. Ik ben zelf ook wel eens dronken geweest, maar
95 ik ben me er ook zeer goed van bewust dat ik dat zelf heb gedaan.
JAN DE JAGER

Naar: *Dagblad vh Noorden*, 8 augustus 2002

Vragen bij de tekst

In de teksten vind je verschillende meningen en argumenten over de kwestie van het 16-jarig meisje dat in coma raakte door te veel sterke drank. Het gaat bij elke brief om de vraag wie er verantwoordelijk is.
Welke argumenten worden gegeven voor de onderstaande meningen? En in welke tekst staan die?

1 De jongeren zelf zijn niet alleen verantwoordelijk.
2 De kroegbazen zijn niet verantwoordelijk.
3 Het meisje zelf is verantwoordelijk.
4 De vriend van het meisje is medeverantwoordelijk.
5 De ouders zijn medeverantwoordelijk.

Vocabulaire

bewust
Het is een bewuste keuze van mij om geen alcohol te drinken als ik moet rijden. Er gebeuren te veel ongelukken door drank.

zich er bewust van zijn (r. 96)
Jeetje, wat kun je op die cassette goed horen dat ik uit Frankrijk kom. Ik was me er niet van bewust dat ik zo'n sterk accent had.

de bijdrage (r. 58)
Het bandje 'Dynamos' levert een muzikale bijdrage op het feest.

evenmin (r. 25)
Ik hou niet van jenever, Britt evenmin. We vinden het allebei gewoon niet lekker.
het feit (r. 44)
Het is een feit dat roken en drinken slecht zijn voor je gezondheid.
immers (r. 11)
Jij moet weten hoe je dat woord uitspreekt. Het is immers jouw moedertaal.
onlangs (r. 1)
Ik heb onlangs een interessant artikel over alcoholmisbruik gelezen. Vorige week of zo.
zowel - als (r. 72-73)
Zowel Jörgen als Björn hebben gisteren te veel gedronken. Ze hebben nu hoofdpijn en ze zijn misselijk: een kater dus.

Vocabulaire-oefening
Welke zin (a of b) kan volgen?

1 Ik heb bewust voor deze huisarts gekozen.
a Hij werkt ook met homeopathie en acupunctuur.
b Ik vond zijn naam als eerste in het telefoonboek.

2 Ik was me er niet van bewust dat ik een blessure had.
a Ik heb meteen een ambulance laten bellen.
b Pas 's avonds onder de douche zag ik de blauwe plekken op mijn benen.

3 Bij mijn verzekering is een eigen bijdrage voor een bril € 100,-. Ik heb een bril van € 300,- gekocht.
a De verzekering betaalt dus € 100,- en ik betaal zelf € 200,-.
b Ik betaal zelf € 100,- en de verzekering betaalt de rest.

4 In ons dorp is geen apotheek. De huisarts levert evenmin medicijnen.
a We moeten voor onze medicijnen naar de stad.
b Sommige medicijnen kunnen we bij de huisarts krijgen.

5 Het is een feit dat Nederlanders minder medicijnen gebruiken dan Belgen.
  a Toch blijkt uit dit rapport dat Nederlanders evenveel medicijnen gebruiken als Belgen.
  b Dat blijkt uit dit rapport van de farmaceutische vereniging.

6 Vraag dat maar aan Jean-Marc. Hij heeft immers in Brussel gewoond.
  a Hij heeft in zo veel verschillende plaatsen gewoond, misschien ook wel in Brussel.
  b Dat heeft hij gisteren in de lunchpauze verteld. Daar was je toch bij?

7 Deze ziektekostenverzekering geldt zowel in Nederland als in de rest van Europa.
  a Dat is handig als je op vakantie gaat.
  b Je moet voor de vakantie dus een extra verzekering afsluiten.

Toepassingsoefening

Werk in tweetallen. Reageer met het woord tussen haakjes.

1 Waarom doe je zo? Dat is ontzettend arrogant! (bewust)
2 Hoe weet je dat eigenlijk allemaal? (onlangs)
3 Kon Laura niet komen helpen? Of Igor? (zowel-als)
4 Wie worden meestal ouder: mannen of vrouwen? (feit)
5 Wat kan Alexandro goed Spaans spreken! (immers)
6 Wil je geld geven voor die actie? (bijdrage)

Spreekopdracht

Wie is het meest verantwoordelijk en wie het minst? Zet de personen in de juiste volgorde en beargumenteer waarom je dat zo hebt gedaan. Bespreek dit in groepjes van drie of vier. Elke groep moet presenteren welke volgorde zij het beste vindt en waarom.

Personen:

- Miranda, het meisje
- de ouders
- de vriend van Miranda
- de barkeeper

Meest verantwoordelijk			Minst verantwoordelijk
1	2	3	4

Schrijfopdracht

Schrijf een samenvatting waarin je de verschillende meningen weergeeft. Geef ook je eigen mening.

Oefening 1

Vul de zinnen uit de linkerrij aan met een extra deel uit de rechterrij.

1	Miranda is een puber	a	waarvoor ouders moeten waarschuwen.
2	De politie doet onderzoek naar het barpersoneel	b	die nog niet genoeg verantwoordelijkheidsgevoel heeft.
3	Roken en alcohol zijn dingen	c	met wie ze naar de bar is gegaan?
4	Hoe oud was de vriend	d	dat de drank verkocht heeft.

Dit zijn correcte antwoorden:

1 Miranda is een puber die nog niet genoeg verantwoordelijkheidsgevoel heeft.
2 De politie doet onderzoek naar het barpersoneel dat de drank verkocht heeft.
3 Roken en alcohol zijn dingen waarvoor ouders moeten waarschuwen.
4 Hoe oud was de vriend met wie ze naar de bar is gegaan?

Relatief pronomen

die verwijst naar

• een de-woord singularis	Dat is *een gewoonte* die voor ons heel vreemd <u>is</u>.
• pluralis	Dat zijn *teksten* die voor jou interessant <u>kunnen zijn</u>.
• namen	Ik heb het overlegd met *Marco*, die ook arts <u>is</u>.

dat verwijst naar

• een het-woord singularis	Wat is precies de titel van *het boek* dat je ons vorige week <u>adviseerde</u>?

waar + prepositie verwijst naar

• een ding dat in de bijzin een prepositie bij zich heeft.	Dat is *een apotheek* waarmee ik goede ervaringen <u>heb</u>. Dat is *een apotheek* waar ik goede ervaringen mee <u>heb</u>.

	Het tijdschrift waarin die informatie staat, was al uitverkocht. *Het tijdschrift* waar die informatie in staat, was al uitverkocht.
waar verwijst naar • een plaats	*De supermarkt* waar ik mijn boodschappen doe, gaat helaas sluiten. *De bibliotheek* waar je ook video's en dvd's kunt lenen, is gratis voor kinderen tot 18 jaar.
prepositie + wie verwijst naar • een persoon die in de bijzin een prepositie bij zich heeft.	Ik ga volgende week naar *een fysiotherapeut*, over wie ik goede verhalen heb gehoord. *De arts* met wie ik dit besproken heb, legde alles heel goed uit.

Vul nu de rest van de zinnen aan:

5	Hij heeft veel patiënten	e	dat ik vorig jaar gebroken heb.
6	Dat is een ziekte	f	waarvoor ik allergisch ben.
7	Het is een virus	g	dat de dokter je kan geven.
8	Hij kent een tandarts	h	die niet besmettelijk is.
9	Dit is het doosje	i	die geen Nederlands spreken.
10	Dat zijn stoffen	j	waar je je medicijnen kunt halen.
11	Dat is de specialist	k	waarover ik iets in de krant heb gelezen.
12	Je hebt een recept nodig	l	die in het centrum woont.
13	Dit is het adres van de apotheek	m	waarin de medicijnen zitten.
14	Ik heb nog steeds last van het been	n	bij wie ik op controle ga.

Oefening 2

Plaats een van de bijzinnen uit de rechterrij hierboven in de volgende zinnen.

Voorbeeld: Het virus is net ontdekt.
Het virus waarover ik iets in de krant heb gelezen, is net ontdekt.

1 Het recept moet je meenemen naar de apotheek.
2 Het been kan ik niet goed buigen.
3 De huiduitslag jeukt heel erg.
4 Die ziekte ontstaat door stress.
5 De apotheek is tot 17.30 uur open.
6 De specialist heet Van den Akker.
7 Als er in mijn eten kleurstoffen zitten, word ik echt ziek.

Wat betekent euthanasie voor een huisarts?

Iedereen heeft er wel een mening over: euthanasie. Vaak wordt gezegd: 'Als ik niks meer kan, ga ik liever dood.' Maar wat gebeurt (5) er als het daadwerkelijk zover is? Wat kan en wanneer mág het? Hoe is het voor de huisarts die euthanasie verleent?

(10) De huisarts: *"Je gaat toch een grens over, je beslist over iemands leven"*

Huisarts Francien Pingen (52) heeft in haar praktijk inmiddels (15) tien keer euthanasie verleend.

"Als ik even nadenk, kan ik ze me nog allemaal herinneren. Ik weet de data niet meer precies en de een kan ik me wat beter voor de (20) geest halen dan de ander, maar ik weet ze allemaal nog. Vooral de eerste keer dat ik een verzoek tot euthanasie kreeg, natuurlijk. Dat is zo'n vijftien jaar geleden. Toen (25) was de wetgeving nog niet zo duidelijk als nu en als arts moest je het maar een beetje zelf uitzoeken. Ik kan me herinneren dat ik alles uitgebreid met collega's op een (30) rijtje heb gezet en dat die heel verbaasd aan me vroegen of ik het ging melden. 'Ja, natuurlijk', zei ik. Ik had echt het gevoel dat ik iets goeds deed voor de patiënt. Bij (35) een zorgvuldige uitvoering moet je het melden, dat is verplicht. Ik wist dat ik me een hoop gedoe op de hals haalde. Want in die tijd kwam na zo'n melding de politie (40) nog in huis en volgde er een heel verhoor. Daar kwam ik wel een beetje ondersteboven vandaan. Ik dacht ineens dat ik iets heel ergs had gedaan. Want voor je gevoel klopt het niet helemaal. Een arts wil in eerste instantie iemand beter maken, wil het léven van iemand verbeteren. En dan moet je ineens een spuitje geven, waardoor iemand na vijf of tien minuten echt dood is. Van tevoren ben ik altijd gespannen. Ik heb altijd het gevoel: ik ga iets heel bijzonders doen. Je gaat toch een grens over, je beslist over iemands leven, je raakt echt de kern. Ik slaap de nacht ervoor meestal behoorlijk onrustig, ook al besef ik nog zo goed dat er echt geen andere oplossing is, ook al kan ik nog zo invoelen waarom iemand naar de rust van de dood snakt. Maar ík ben meestal degene die de handeling verricht. In principe kun je de patiënt ook een drankje geven, hulp bij zelfdoding heet het dan, maar bijna altijd zijn ze te ziek om nog zelf het drankje te kunnen drinken. Dat drankje is heel dodelijk en ik moet zeggen dat ik het al eng vind om ermee over straat te gaan. Stel je voor dat ik het laat vallen of ergens mors. De eerste keer dat ik de injectie moest geven, bibberden mijn handen zo enorm dat ik bang was dat ik mis zou prikken.

"Je kunt van een arts niet vragen het moment te bepalen waarop het erg genoeg is om er een eind aan te maken"

Gelukkig is er intussen veel veranderd. De wet is duidelijker geworden en door er veel over te praten en door nascholing heb ik veel geleerd. Zo organiseer ik steun voor mezelf. De consulent, de tweede arts die ook altijd de patiënt moet bezoeken, speelt een belangrijke rol. Niet alleen beoordeelt deze arts of de dokter zich aan de zorgvuldigheidseisen houdt, maar hij of zij kan ook steun bieden. Zo'n tweede arts bekijkt het probleem toch met wat meer afstand en dat kan heel verhelderend werken.

Ik moet altijd even napraten als ik iemand heb geholpen met overlijden. Meestal blijf ik nog even bij de familie zitten. Je hebt een hele periode met hen achter de rug, dat moet je afsluiten. En daarna spreek ik altijd met iemand af. Iemand uit mijn werkkring: een arts of een wijkverpleegkundige die nauw bij de patiënt betrokken was. Ik ga in ieder geval niet zomaar naar huis. Net als de meeste artsen, spreek ik meestal op een vrije middag of in het weekend af. Je kunt het toch niet zomaar tussen het spreekuur door doen?

Wat ik persoonlijk van euthanasie vind, vind ik eigenlijk niet relevant. Ik weet nog niet wat ik wil. Ik heb er geen mening over of het goed of slecht is. Ik wil vooral weten of de besluitvorming goed is geweest. Of iemand het besluit vrijwillig en weloverwogen heeft →

125 genomen. Dat is ook het lastige bij mensen die geestelijk niet meer goed zijn... Als je lichamelijk vreselijk ziek bent, kun je tot op het laatst zelf aangeven wat je wilt. 130 Als iemand dat niet zelf meer kan, hoe kun je dan van een arts vragen het moment te bepalen waarop het erg genoeg is om er een eind aan te maken? Ik zou dat niet 135 kunnen en ik denk dat daar voor alle dokters de grens wel ligt. In dat geval ben ik streng: mensen hebben de keuze of ze euthanasie willen, maar ze hebben er geen 140 recht op."

"Wanneer mag een arts euthanasie verrichten?"

Volgens de wet zijn euthanasie en 145 hulp bij zelfdoding nog steeds strafbaar. De strafbaarheid vervalt echter als de arts voldoet aan zes zorgvuldigheidseisen:

- De arts is ervan overtuigd dat er 150 sprake is van een vrijwillig en weloverwogen verzoek van de patiënt.
- De arts is ervan overtuigd dat er sprake is van uitzichtloos en on- 155 draaglijk lijden van de patiënt.
- De arts heeft de patiënt voorgelicht over de situatie en de vooruitzichten.
- De arts is samen met de patiënt 160 tot de conclusie gekomen dat er geen redelijke andere oplossing is.
- De arts heeft ten minste één andere, onafhankelijke arts 165 geraadpleegd, die de patiënt heeft gezien en schriftelijk zijn oordeel heeft gegeven.
- De arts heeft de levensbeëindiging medisch zorgvuldig uitge- 170 voerd.

De arts is dus níet strafbaar als hij zich aan deze eisen houdt en als de euthanasie wordt gemeld bij de 175 gemeente.

Naar: *Libelle*, 14, (28 maart t/m 4 april) 2003

Vragen bij de tekst

1 Wat is er veranderd wat betreft euthanasie, vergeleken met vijftien jaar geleden?

a Vroeger mocht de arts zelf kiezen of hij euthanasie verleende of niet, nu moet hij dat overleggen met een collega.
b Vroeger wisten dokters niet precies wat ze wel en niet mochten op het gebied van euthanasie, nu is er meer duidelijkheid dan vroeger.
c Vroeger moest een arts melden dat hij euthanasie had verleend, nu hoeft dat niet meer.

2 Is er verschil tussen euthanasie en hulp bij zelfdoding?

a Nee, het zijn twee woorden die hetzelfde betekenen.
b Nee, maar 'euthanasie' klinkt vriendelijker dan 'hulp bij zelfdoding'.
c Ja, euthanasie verricht de dokter, bij 'hulp bij zelfdoding' is de patiënt zelf actief.

3 Wat is de rol van de 'tweede arts'?

a Hij helpt de dokter bij het verlenen van euthanasie.
b Hij controleert of de dokter zich aan alle eisen voor euthanasie houdt.
c Hij meldt de euthanasie bij de gemeente.

4 Kan euthanasie verleend worden aan iemand die geestelijk erg ziek is?

a In principe niet, want de patiënt kan er niet zelf voor kiezen.
b In principe niet, want de patiënt kan niet zelf een tweede arts aanwijzen.
c In principe niet, want dan geldt het als 'hulp bij zelfdoding'.

Vocabulaire

de eis (r. 173)
Ik moet een keer per maand in het weekend telefonisch bereikbaar zijn voor mijn werk. Dat is een eis die het bedrijf stelt aan alle werknemers.

de geest (r. 20)
Yoga is ontspanning voor het lichaam, maar ook voor de geest. Je denkt aan niets en je gedachten komen tot rust.

voor de geest halen (r. 20)
Ik ben een keer in Venlo geweest, maar ik kan me niet meer voor de geest halen hoe het centrum eruit ziet. Het is te lang geleden.

geestelijk (r. 126)
Mijn opa is erg oud. Lichamelijk is hij zwak, hij heeft last van allerlei ziekten. Maar geestelijk is hij nog gezond: hij leest de krant en kan over alles meepraten.

zich herinneren – herinnerde – herinnerd (r. 17)

Mijn oma is erg oud. Ze vergeet veel dingen. Soms kan ze zich niet herinneren waar ze woont.

inmiddels (r. 14)

Op het feest zag ik Justin, die ik tien jaar niet gezien had. Hij is inmiddels getrouwd en hij heeft twee kinderen.

intussen (r. 84)

Over een half uurtje krijgt u de uitslag van het bloedonderzoek. U kunt intussen in de wachtkamer wachten.

lijden – leed – geleden (r. 155)

Deze stad heeft erg geleden in de oorlog. De meeste huizen waren kapot.

lijden aan

Thom mag geen gewoon brood eten. Hij lijdt aan een bepaalde ziekte, waarbij je allergisch reageert op graanproducten.

overlijden – overleed – is overleden (r. 101)

Mijn opa overleed in maart. Een half jaar later is mijn oma ook overleden. Ik was dus binnen een jaar mijn beide grootouders kwijt.

principe

In die winkel werken ze volgens het principe: 'wie het eerst binnen is, is het eerst aan de beurt'. Dus belangrijke klanten moeten ook gewoon wachten.

in principe (r. 64)

Iedere apotheker mag in principe een eigen apotheek openen. Maar in de praktijk gebeurt dat niet vaak: meestal werken ze samen, in een team.

het recht (r. 140)

Iedereen heeft in noodsituaties recht op juridische hulp. Dat staat in de verklaring van de rechten van de mens.

redelijk (r. 161)

Antoine is erg ziek geweest. Momenteel gaat het redelijk met hem, maar het duurt nog wel een paar weken voordat hij weer mag gaan werken.

Als het redelijk weer is, gaan we kamperen. Alleen als het echt slecht weer is, overnachten we in een hotel.

de rij

De kinderen van de school stonden in de rij. Zo kon de onderwijzer ze gemakkelijk tellen.

op een rijtje zetten (r. 30)
: Als je de keuze hebt tussen twee banen, moet je op een rijtje zetten wat de voordelen en de nadelen van elke baan zijn.

de rug
: Ik krijg last van mijn rug als ik lang op deze stoel zit.

achter de rug (r. 104)
: Als de examens achter de rug zijn, kan ik lekker op vakantie.

sprake van (r. 150)
: Als er meer dan een bepaald percentage mensen een bepaalde ziekte heeft, is er sprake van een epidemie.

streng (r. 137)
: Tanja werkt met verslaafden. Ze moet soms erg streng zijn, bijvoorbeeld met het uitdelen van medicijnen. De patiënten moeten die direct innemen. Men is bang dat die anders verkocht worden.

zorgvuldig (r. 35)
: Je moet zorgvuldig controleren of je alles goed hebt ingevuld op je verzekeringspapieren. Neem er de tijd voor, kijk het goed na.

Vocabulaire-oefening

Vul in de zin twee woorden (of woordgroepen) in: een uit de lijst bij de tekst, en de tegenstelling ervan.

1 Ik __________ heel snel namen, maar gezichten kan ik me altijd wel __________ .
2 Freds opa heeft veel __________ klachten, maar __________ is hij nog prima: hij volgt het nieuws en weet precies wat er gebeurt in de wereld.
3 Wie van onze afdeling heeft op welke dagen vrij? We moeten dat eens __________ zetten want nu is het heel onduidelijk. Ik haal alles __________ !
4 Zelf jam maken is een __________ werkje. Als je het te snel of __________ doet, mislukt het. Dan bederft de jam.
5 Een geboorte-overschot betekent dat het aantal kinderen dat __________ wordt groter is dan het aantal mensen dat __________ in een bepaalde periode.
6 De examentijd is altijd druk voor studenten: je hebt het ene examen __________ en je hebt het volgende examen al weer __________ .

7 Onze vorige docent was erg __________: je moest je opdrachten precies op tijd inleveren. Deze docent is __________. Je mag je opdracht ook wel wat later maken.
8 Als je verhuist , moet je je huis schoon achterlaten. Dat is je __________. Als het schoon is, heb je __________ op teruggave van je sleutelgeld.

Toepassingsoefening
Werk in tweetallen. Reageer met het woord tussen haakjes.

1 Wat moet ik doen met de garantiepapieren van de dvd-speler? (zorgvuldig)
2 Ik heb gehoord dat John een erg ongeluk heeft gehad. Hoe is het met hem? (geest/geestelijk)
3 Als je maar een paar glazen bier hebt gedronken, mag je toch wel autorijden? (streng)
4 Heb je gezien dat Ilse rode vlekken in haar gezicht heeft? (lijden)
5 Ik ga even boodschappen doen. Wat ga jij doen? (intussen)
6 Kan iedereen in Nederland studeren? (principe)
7 Leven jouw opa's en oma's nog? (overlijden)
8 Liggen jouw cd's in de kast? (rij)
9 Wat gebeurt er als ik het examen niet haal? (recht)
10 Ik heb Yvonne heel lang niet gezien. Werkt ze nog bij jullie bedrijf? (inmiddels)
11 Moet je nog naar de medische keuring of heb je die al gehad? (achter de rug)
12 Waarom moet je examen doen voordat je naar de universiteit mag? (eis)
13 Weet jij nog hoe die specialist heette? (zich herinneren)
14 Ze zeggen dat deze afdeling van het bedrijf gaat sluiten. (sprake van)
15 Ik heb mijn rijbewijs gehaald na dertig lessen. (redelijk)

■ Iets niet willen/kunnen zeggen

Niet willen zeggen

Dat zeg ik liever niet.

Heb je collega's die je niet aardig vindt?
Dat zeg ik liever niet.

Dat vind ik te persoonlijk.	Wil je iets meer over je relatie vertellen? Dat vind ik te persoonlijk.
Daar praat ik liever niet over.	Heb jij in je jeugd nare dingen meegemaakt? Daar praat ik liever niet over.

Niet kunnen zeggen

Dat hangt af van	Je kunt beter sterven dan zo ontzettend ziek zijn. Dat hangt van je geloof af. (je cultuur, je leeftijd, je ziekte)
Dat kun je zo niet zeggen.	Vind jij homeopathie ook beter dan gewone geneeswijzen? Dat kun je zo niet zeggen.
Het is moeilijk om daar iets over te zeggen.	Wat zou jij doen als je erg ziek was en veel pijn had? Het is moeilijk om daar iets over te zeggen.
Dat kun je niet zo in het algemeen zeggen.	Als je erg ziek bent, is euthanasie het beste. Dat kun je niet zo in het algemeen zeggen.
Dat is heel persoonlijk.	Als je ernstig ziek bent, wil je dat natuurlijk weten. Dat is heel persoonlijk.
Dat verschilt per situatie.	Euthanasie is een goede beslissing. Dat verschilt per situatie.

Spreekopdracht

Discussieer met elkaar over het thema euthanasie. Je kunt gebruik maken van deze uitspraken:

- Mensen mogen zelf kiezen hoe ze sterven, want ze mogen ook zelf kiezen hoe ze leven.
- Je kunt niet beoordelen waar de grens ligt tussen een menswaardig bestaan en lijden. Wat voor de een vreselijk is, kan voor de ander nog een goed leven zijn.
- Mensen mogen niet beslissen over leven en dood.
- Als euthanasie normaal wordt, wordt het misschien ook gewoon om oude mensen (en andere niet-productieve mensen voor de maatschappij) te laten sterven.
- Als mensen een mooi leven hebben gehad, mogen ze dat leven ook mooi afsluiten, zonder een lang ziekbed met veel pijn en verdriet.
- Lijden hoort bij het leven, dat moet je accepteren.

Oefening 3

Vul de zinnen aan en gebruik een relatief pronomen: *die, dat, waarmee, aan wie* etc.

1. Ik heb problemen met mijn computer. Ken jij iemand ____________
2. Ik versta er niets van! Kun jij me vertellen ____________
3. Ik ben op zoek naar een perforator, je weet wel, zo'n ding ____________
4. Kan ik het boek ____________, een paar dagen van je lenen?
5. Hebben we zo alles besproken? Of zijn er nog punten ____________
6. Heb jij dat artikel nog? Ik heb de krant ____________, al weggegooid.
7. Mag ik je voorstellen aan Ria, mijn collega ____________
8. Ik vind Italië prachtig. Het is een land ____________
9. Ken jij Trustman? Hij heeft een onderzoek gedaan ____________
10. We werken met een methode ____________

Oefening 4

Je bent in de winkel van Sinkel. Bedenk een voorwerp dat je wil kopen én extra informatie daarover.

Bijvoorbeeld: een tas
de tas is erg stevig
in de tas passen zes pakken melk

Ik zoek een tas die erg stevig is.
Ik zoek een tas waarin zes pakken melk passen. (...waar zes pakken melk in passen)

Loop door het lokaal en voer met een medecursist een dialoog volgens dit patroon:

A Ik zoek een ___________

B Wat voor ___________? Een ___________ die / dat ___________?
of: Een ___________ waar ___________?

A Nee, ik zoek een ___________ die/dat ___________
waar ___________

B Sorry, die / dat hebben we niet. (of: Ja, die / dat hebben we.)

Als je dit gesprek hebt gevoerd, loop je naar een andere cursist. Je bedenkt een ander voorwerp en voert weer een gesprek.

Prepositie-oefening

Vul de preposities in. Controleer daarna je antwoorden. Noteer de combinaties die je fout had.

Mijn vriendin is gek ___________ honden en ze wil graag een hond kopen. Ik heb gezegd dat ze daar goed ___________ na moet denken. Ik heb gezegd: Jij bent verantwoordelijk ___________ de hond. Jij moet het dier ___________ controle houden. Je moet rekening houden ___________ je buren. Misschien blaft de hond de hele dag als jij ___________ je werk bent. En dan hebben de buren last ___________ je hond. En wat doe je met de hond als je ___________ vakantie gaat?

Heb je moeite ___________ wakker worden 's morgens? Of kom je 's avonds juist moeilijk ___________ slaap? Zit je niet lekker ___________ je vel? Sta je ___________ spanning? Last ___________ stress? Misschien kun je iets doen ___________ deze klachten! Kom eens ___________ ons spreekuur, elke woensdag ___________ half drie ___________ half vier.

Ik heb ___________ de krant gelezen dat ___________ januari 60% ___________ de mensen ___________ dieet is. Waarom ___________ januari? ___________ december hebben we de feestdagen, ___________ veel lekker eten. ___________ die dagen ga je ___________ de weegschaal staan, en je schrikt ___________ de extra kilo's.
___________ de krant stond ook dat de meeste mensen al ___________ drie weken weer stoppen ___________ hun dieet. Dan zijn ze al genoeg afgevallen.

DVD Luisteropdracht: Je zal het maar hebben: eetstoornissen

Je ziet een gesprek met Tessa. Tessa heeft anosmie: ze kan niet ruiken. Daardoor kan ze ook niet goed proeven wat ze eet.

Lees vraag 1 tot en met 3, en kijk daarna naar het gesprek met Tessa.

1 De presentator en Tessa doen een test. Ze krijgen van een kok steeds twee dingen die veel op elkaar lijken, maar die anders smaken.
Proeft Tessa het verschil?

- Soep – Welke twee soorten soep krijgen ze?
- Groente – Welke twee soorten groente krijgen ze?
- Ze krijgen een milkshake: één ervan is gewoon. Wat is er toegevoegd aan de andere milkshake?
- Daarna krijgen ze een kopje koffie en een kopje ...
- Bij de koffie krijgen ze een glas cognac of ...

Tijdens het etentje vertelt Tessa over haar ziekte.

2 Ze zegt dat ze niet zo goed kan proeven als andere mensen, maar dat ze wel iets proeft. Wat kan Tessa wel proeven?

3 Tessa vertelt dat ze, naast proeven, op een andere manier ook wel merkt wat ze eet. Hoe merkt ze dat?

Lees nu eerst vraag 4 en 5. Kijk daarna naar het volgende fragment.

Aan allerlei mensen op straat wordt gevraagd: heb je een gekke eetgewoonte?

4 Noem twee dingen die genoemd zijn als gekke eetgewoonte.

5 Heb je zelf een gekke eetgewoonte? Of iemand in jouw omgeving?

Luisteropdracht

- Wanneer kreeg de zanger altijd pepermunt?
- Waarmee vergelijkt hij pepermunt?

Pepermunt

Het wordt gefabriceerd in Friesland
Het heeft een koninklijke naam
Er zijn natuurlijk andere merken
Maar deze heeft de meeste faam

Je kunt er lekker lang op zuigen
Bijt je tanden er op stuk
En als ik vroeger in de kerk zat
Was het mijn redding en geluk

Pepermunt
Pepermunt
Als de preek je gaat vervelen
Als je niet meer luist'ren kunt
Pepermunt
Pepermunt
Het is de protestantse cocaïne
Voor de gereformeerde junk

Als de dominee op dreef was
Tegen oorlog en geweld
En als ik alle kleine ruitjes
Van elk kerkraam had geteld

Dan greep mijn moeder in haar handtas
Voor het juiste medicijn
En ze gaf me witte pillen
En die verzachtten elke pijn

Pepermunt
Pepermunt
Als de preek je gaat vervelen
Als je niet meer luist'ren kunt
Pepermunt
Pepermunt
Het is de protestantse cocaïne
Voor de gereformeerde junk

Het is de protestantse hostie
De gereformeerde drugs
En als er nooit een kerk geweest was
Dan was er ook geen
P-p-p-p-p .... pepermunt

(solo)

Als de preek je gaat vervelen
Als je niet meer luist'ren kunt
Pepermunt
Pepermunt
Het is de protestantse cocaïne
Voor de gereformeerde junk.

Uitgevoerd door Stef Bos

REFLECTIE

Dit is het eind van een hoofdstuk. Denk erover na of je het volgende wel of niet kunt.

- ☐ Je kunt in een tekst snel nagaan of jouw ideeën hierover juist waren.
- ☐ Je kunt de grammatica van dit hoofdstuk toepassen: je kunt extra informatie geven over voorwerpen of personen met behulp van het juiste relatief pronomen en een bijzin.
- ☐ Je kunt iets op een andere manier uitdrukken als je niet begrepen wordt.
- ☐ Je kunt standpunten van schrijvers herkennen in een aantal teksten over hetzelfde onderwerp.
- ☐ Je kunt discussiëren over een thema en daarbij je mening en argumenten uitdrukken.
- ☐ Je kunt in een discussie reageren op de mening en argumenten van anderen.
- ☐ Je kunt aangeven dat je ergens niet over wilt of kunt praten.
- ☐ Je kunt een beeldfragment begrijpen waarin zonder duidelijk accent maar in normaal spreektempo wordt gesproken.
- ☐ Je kunt de hoofdgedachte uit een liedje halen.

THEMA 7
Relaties

'Nederlandse man heel knap, maar niet zo sexy'

Hoe denken buitenlandse vrouwen over Nederlandse mannen? De Franse journaliste Sophie Perrier ging op zoek naar het antwoord en schreef daarover een boek.

AMSTERDAM – Buitenlandse vrouwen vinden de Nederlandse man heel knap, maar niet zo sexy. Dat is het oordeel van 35 vrouwen die de Franse journaliste Sophie Perrier over hun ervaring met de Nederlandse man heeft ondervraagd. Haar boek *De mannen van Nederland* is net uitgekomen.

'Ik weet nooit wanneer de Nederlandse man me versiert,' zegt de Oostenrijkse Maria in het boek. De Engelse Gilian vat het zo samen: 'De Engelse man is lelijk, maar sexy. Bij de Nederlandse man is het juist omgekeerd.'

Nederlandse mannen zijn zich weinig bewust van hun aantrekkingskracht, zegt Perrier. Ze zijn zeker niet geraffineerd. Ze geven ook niet te veel geld aan kleding of parfum uit. Alles moet heel gewoon zijn. En dat terwijl ze goed gebouwd zijn en goed geproportioneerd zijn, vindt de grote meerderheid van de ondervraagde vrouwen.

Het grote gebrek is dat de Nederlandse man niet kan flirten. Hij kan niet met een vrouw spelen, hij kan niet versieren. Dat maakt het leven in dit landje iets minder leuk en minder charmant, vinden de vrouwen. Als een vrouw in een café komt, is er geen man die een gesprek met haar begint. Daarvoor is hij te verlegen, te respectvol of te beschaafd.

In bed is de Nederlandse man heel attent. Hij heeft veel respect voor zijn vrouw of vriendin. Het poldermodel in bed, zegt Perrier, die ook uit eigen ervaring kan spreken. 'Wat vind je leuk, wat vind je niet leuk? Wat vind je lekker? Dan doen we dat toch.'

Ook in huis wordt over van alles gesproken en onderhandeld tot er consensus is. De Nederlandse man is best bereid zijn gedrag te veranderen. 'Oké, dan maak ik voortaan de kattenbak schoon.'

Nederlandse mannen zijn wel ontzettend geëmancipeerd. Achttien procent werkt in deeltijd, vooral als er kinderen zijn. De Deense mannen volgen in dit opzicht met negen procent. De vrouwen in Nederland klagen wel veel, vindt Perrier, maar de mannen doen hier veel in het huishouden. Denk je dat er één Fransman is die zijn overhemden strijkt, aldus de correspondente van het dagblad *Libération*.

De Nederlandse man speelt veel met zijn kinderen. 'Mijn man

→

75 is de beste vriend van mijn zoon Marten', zegt de Duitse Annette. 'Hij is heel geduldig. Samen hebben ze ontzettend veel pret. Maar hij is niet zo gedisciplineerd.'

Uit: *Nieuwsblad vh Noorden*, 7 februari 2001

© Peter de Wit

Vragen bij de tekst

Beantwoord de volgende vragen.

1. Noem drie eigenschappen/dingen die de Nederlandse man wel heeft/doet en drie eigenschappen/dingen die hij niet heeft/doet.

2. Uit welke twee dingen blijkt dat de Nederlandse man geëmancipeerd is?

3. Wat is het poldermodel? Waarom wordt dat hier gebruikt?

Vocabulaire

bereid zijn (te) (r. 56)

'Ben je bereid om voor je werk of voor je partner naar een ander land te verhuizen?' 'Ja, in principe wel, ik vind dat geen probleem.'

het huishouden (r. 68)

1. In deze buurt bestaan de meeste huishoudens uit drie of vier personen. Je kunt dus zeggen dat in de meeste huizen een gezin woont.
2. De kinderen moeten ook helpen in het huishouden: ze moeten afwassen, lege flessen naar de winkel terugbrengen, hun kamer opruimen.

de meerderheid (r. 31)

De meerderheid van de aanwezigen was voor dit plan, dus meer dan de helft was voor.

onderhandelen – onderhandelde – onderhandeld (r. 54)

We moesten € 85,– voor een hotelkamer betalen, maar over de prijs kon je wel onderhandelen want uiteindelijk hebben we € 70,– betaald.

het oordeel (r. 10)

Volgens het oordeel van de jury was dit fotomodel het mooist. Ik heb daar een heel andere mening over.

in dit/dat opzicht (r. 65)

Ik hoef maar 5 minuten te fietsen naar de universiteit. In dat opzicht heb ik wel geluk.

uitgeven – gaf uit – uitgegeven (r. 26)

Ik geef meestal niet veel geld aan boeken uit, maar dit weekend heb ik een paar boeken gekocht.

uitkomen – kwam uit – is uitgekomen (r. 15)

1 Wanneer is dit boek uitgekomen? Welk jaar staat er voor in het boek?
2 Wanneer zullen we iets afspreken, overdag of 's avonds? Wat komt je het beste uit?

volgen – volgde – gevolgd (r. 64)

1 De winnaar eindigde met een score van 426 punten, de tweede volgde met 423 punten.
2 Aan deze universiteit kun je allerlei opleidingen volgen.

zeker (r. 26)

1 Dat is zeker niet duur voor een vliegreis. Voor die prijs zou ik ook gaan vliegen.
2 Is het al zeker dat we dinsdag een vergadering hebben of is het nog onduidelijk?

Vocabulaire-oefening

Herschrijf de gekleurde woorden of zinsdelen. Gebruik daarbij een van de woorden uit de lijst.

1 Wat is jouw **mening** over dat boek? = ____________________
2 Wanneer **verschijnt** dat nieuwe tijdschrift? = ____________________
3 Voor die nieuwe baan moet ik **wel willen** verhuizen. = ____________________
4 Dat museum moet je **beslist** gaan bekijken. = ____________________

5 Wie is er nu aan de beurt? = ____________________
6 De universiteit heeft veel geld besteed aan nieuwe computers. =
7 Het grootste deel van de studenten heeft de formulieren zorgvuldig ingevuld. = ____________________
8 Wat dat punt betreft ben ik het niet met haar eens.= ____________________
9 Je betaalt allerlei soorten belasting per gezin. = ____________________
10 We hebben geprobeerd het eens te worden over de condities en uiteindelijk hebben we een akkoord bereikt. = ____________________

Toepassingsoefening
Werk in tweetallen. Reageer met het woord tussen haakjes.

1 Veel mensen die werken of studeren hebben bijna geen tijd voor hobby's. Hoe komt dat? (huishouden)
2 Het college is verplaatst van maandagmorgen naar woensdagavond. (uitkomen)
3 Koop jij veel cd's? (uitgeven)
4 Wat heb je afgelopen jaar gestudeerd? (volgen)
5 Zeg jij eens wat. Wat vind jij er eigenlijk van? (oordeel)
6 Heb je dat kastje voor een redelijke prijs kunnen kopen? (onderhandelen)
7 Kun je me dit weekend helpen met verhuizen? (zeker)
8 Waarom gaan jullie bij een pizzeria eten en niet bij de Mexicaan? (meerderheid)
9 Als u bij ons komt werken, moet u nog wel aan een aantal trainingen meedoen. (bereid)
10 In jullie land eten ze twee keer per dag warm, in Nederland maar één keer. (in dat opzicht)

Spreekopdracht

In de tekst staan verschillende eigenschappen genoemd die de Nederlandse man wel of niet heeft. Werk in groepjes en vertel welke van die eigenschappen jij bij een partner belangrijk vindt.

knap	verlegen	geëmancipeerd
sexy	respectvol	geduldig
geraffineerd	beschaafd	gedisciplineerd
charmant	attent	

Zijn er nog andere eigenschappen die je belangrijk vindt? Welke eigenschappen vind je juist niet positief?

Je kunt de volgende zinnen gebruiken:
- In een relatie vind ik het belangrijk dat ...
- Ik heb er een hekel aan als ...
- Wat mij opvalt aan de Nederlandse mannen / vrouwen is dat ...

Zou – zouden

1 **Beleefde vraag**
Zou je me vanavond *kunnen* helpen?
Zou je iets van me *willen* drinken?
Zou ik u iets *mogen* vragen?

2 **Droom over een andere werkelijkheid**
Als Nederlandse mannen zouden flirten, zou het leven hier leuker zijn.
Als geld niet belangrijk zou zijn, zou ik minder werken.
Als ik met een buitenlander getrouwd zou zijn, (dan) zou ik misschien in een ander land wonen.

Maar ook: Als geld niet belangrijk was, werkte ik minder.
Als geld niet belangrijk zou zijn, werkte ik minder.
Als geld niet belangrijk was, zou ik minder werken.

3 **Wens**
Zij zou *wel eens* willen weten waarom Nederlandse mannen niet kunnen spelen.
Over dit onderwerp zou ik *graag* met je willen discussiëren.
Ik zou *graag* willen dat de mannen in mijn land geëmancipeerder zijn.

Vaak gebruikte zinnen

Dat zou kunnen.	– Zag ik jou gisteren bij het Noorderplantsoen? – Dat zou kunnen. Ik woon daar in de buurt.

Ik zou het niet weten.	- Hoe ver ligt Hoorn van Amsterdam? - Ik zou het niet weten.
Als dàt zou kunnen!	- Zal ik een kopie van dit programma aan je sturen? - Als dát zou kunnen; dat scheelt mij een hoop tijd!
Weet je wat ik zou willen?	- Weet je wat ik zou willen? - Nou? - Ik zou graag weer eens samen uit eten gaan.

Oefening 1

Je was de vorige keer niet aanwezig in de cursus. Je schrijft je docent een e-mail met een aantal vragen. Formuleer ze beleefd.

1 vertellen wat het huiswerk is?
2 schrijfopdracht later inleveren?
3 datum geven volgende test?
4 e-mailadres hebben van medestudente?
5 advies geven over niet te moeilijke Nederlandse roman?

Oefening 2

Maak de volgende zinnen af.

1 Als ik een man/vrouw zou zijn, ...
2 Als het weer in Nederland een beetje beter was, ...
3 Als ik een huis met twaalf slaapkamers zou hebben, ...
4 Als ik in Parijs woonde, ...
5 Als ik een beroemde zanger(es) zou zijn, ...

Bekijk de afbeelding.

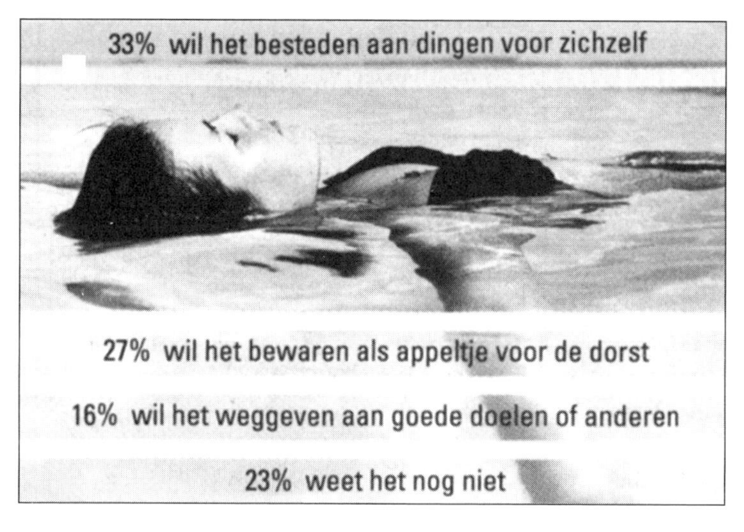

Wat zouden de meeste mensen doen, als ze een miljoen zouden hebben?
Wat zou jij doen, als je een miljoen had?

Oefening 3

Bekijk de afbeeldingen.

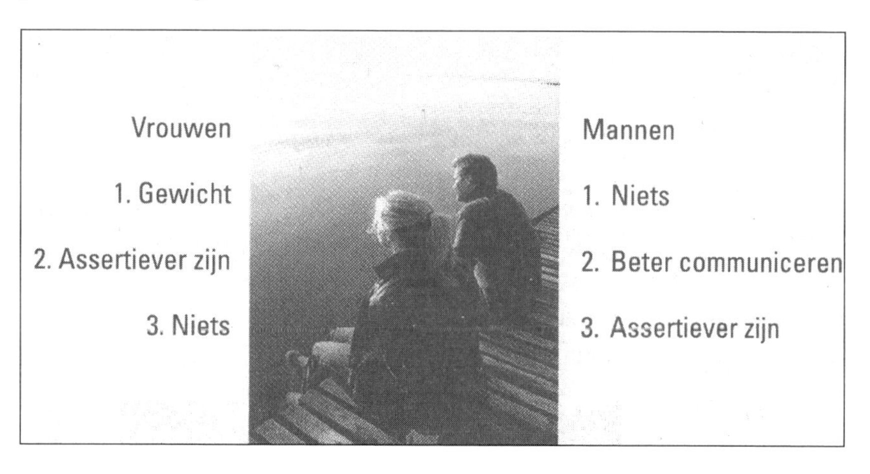

Wat zouden de meeste mensen aan zichzelf willen veranderen?
Wat zou jij aan jezelf willen veranderen?

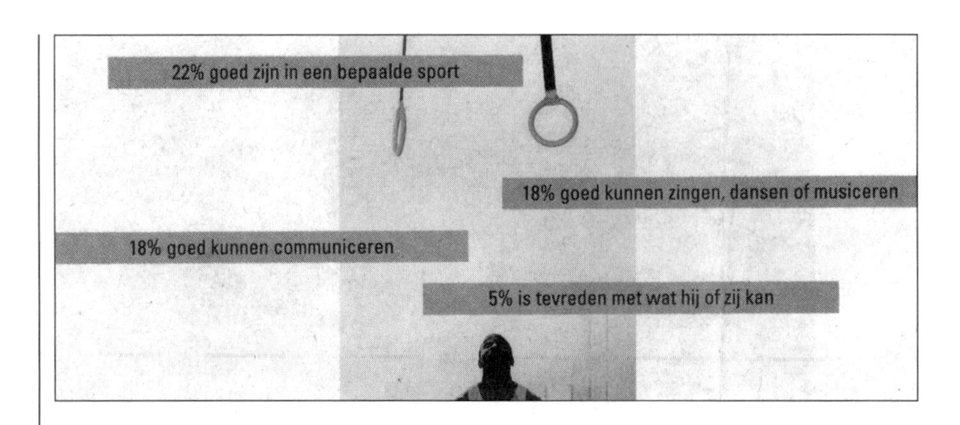

Waar zouden de meeste mensen goed in willen zijn?
Waar zou jij goed in willen zijn?

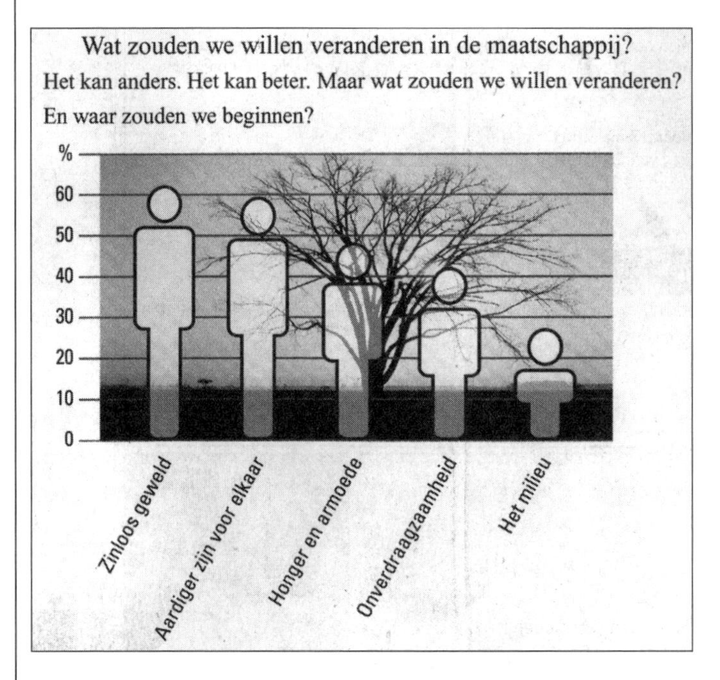

Wat zouden de meeste mensen willen veranderen in de maatschappij?
Wat zou jij willen veranderen in de maatschappij?

Bronnen illustraties op pagina 179 en 180: NIPO in opdracht van ABN AMRO, Centraal Bureau voor de Statistiek, Kamer van Koophandel, EIM, Nationale Kinderkracht powered by FutureNetworks, Sociale Verzekerings Bank, NIPO NOM Doelgroep Monitor 2002.
Uit: *NRC Handelsblad*, 07-05-2003.

Van de ouders is nog 30 procent baas over de televisie

In modern gezin is alles onderhandelbaar

Van onze verslaggeefster
Mirjam Schöttelndreier

AMSTERDAM – Onderhandelen heeft in het moderne gezin de plaats ingenomen van een sterke leiding door de ouders. Vooral met kinderen in de leeftijd van 12 jaar en ouder wordt gediscussieerd over onder andere televisiekijken, de vakantiebestemming en het avondeten. Dit blijkt uit een onderzoek dat het Nijmeegse instituut ITS heeft uitgevoerd in opdracht van *de Volkskrant*.

Vaders en moeders lijken zeer tevreden met dit gezinsleven. Ze geven zichzelf een 7 als opvoeder. Het contact met hun kind krijgt zelfs een royale 8.

Tot ongeveer het twaalfde levensjaar, zijn de ouders nog wel de baas. Het merendeel van de opvoeders bepaalt wat er gegeten wordt en hoe laat de kinderen naar bed gaan.

Geheel probleemloos verloopt de opvoeding in deze fase niet. Van de ouders zegt 20 procent te tobben met lastige eters en kinderen die weigeren naar bed te gaan.

F. Smit, onderzoeker bij het ITS: 'Tussen het negende en vijftiende jaar begint het echte onderhandelen. Kinderen gaan dan niet meer met alles akkoord. In het moderne gezin beslissen kinderen dan over alles mee: over de tv, over het gebruik van de computer, over het tijdstip van thuiskomen, over de hoogte van het zakgeld en over de vakantiebestemming.' Nog 30 procent van de ouders is thuis baas over de tv. In 20 procent van de gezinnen wordt gestemd over het avondeten. Toch lijden opvoeders niet onder gezagsverlies.

Van de ouders onderhandelt 10 procent bewust vanuit een pedagogisch motief: het kind moet leren verantwoordelijkheid te dragen.

Het Nederlandse 'praatgezin' komt in alle lagen van de bevolking voor. Bijna alles is bespreekbaar, van schoolkeuze tot omgangsregeling met de kinderen in geval van echtscheiding. In tweederde van de gezinnen is zelfs gezinsuitbreiding gespreksonderwerp.

Zijn kinderen 16 jaar en ouder, dan houdt het onderhandelen op en begint de fase van de 'gescheiden levenssferen' zoals de onderzoekers dat noemen. Veel ouders hopen dan dat hun kinderen zelfstandig en verantwoordelijk genoeg zijn om met hun vrijheid om te gaan. Veel ouders vinden →

75 dat ze hun kinderen op deze leeftijd niet de geborgenheid kunnen geven die ze zouden willen bieden, aldus het onderzoek.

In het onderhandelingshuishouden is veel, maar niet alles voor ouders te verdragen. Een

80 meerderheid van de ouders zegt dat ze zich nooit door hun kinderen onder druk laat zetten. Maar een gillend kind in de supermarkt is het ergste wat je kan over-

85 komen, zegt de Nederlandse ouder.

Naar: *de Volkskrant*, 23 juni 2001

Vragen bij de tekst

Zijn de volgende beweringen 'waar' of 'niet waar'?

1. De meeste ouders vinden het jammer dat ze niet meer echt de baas zijn over hun kinderen.
2. De meeste ouders zijn de baas tot hun kinderen ongeveer twaalf jaar zijn.
3. Het onderhandelen in het gezin is iets wat vooral gebeurt bij hoogopgeleide ouders.

Vocabulaire

bepalen – bepaalde – bepaald (r. 24)

In Nederland mogen de ouders bepalen welke achternaam hun kinderen krijgen, die van de vader of die van de moeder.

bieden – bood – geboden (r. 75)

Veel ouders hebben problemen met de opvoeding van hun kinderen. Onze organisatie biedt deze ouders hulp.

de druk (r. 82)

De druk om meer te presteren wordt groter, als het slechter gaat met de economie.

echt (r. 35)

1. 'Weet je dat Bart allergisch is voor drop?' 'Dat kan toch niet? Is dat echt waar?' 'Ja, echt!'
2. Toen ik veel problemen had, bleven veel van mijn vrienden weg: geen tijd, te druk. Maar Anja en Gerd hielpen me toen wel. Dat zijn echte vrienden.

het geval

Als uw nummer niet op de lijst staat, bent u niet ingeschreven. In dat geval moet u contact opnemen met de afdeling personeelszaken.

in geval van (r. 60)

Deze deur mag alleen gebruikt worden in geval van nood. Bij brand bijvoorbeeld.

het gezag (r. 48)

Vroeger was het gezag van de ouders groter. De ouders waren de baas. Ze overlegden niet met hun kinderen.

de leiding (r. 6)

Als uw kinderen langer dan twee weken niet naar de crèche kunnen komen (als u vakantie hebt bijvoorbeeld), moet u dat doorgeven aan de leiding.

ophouden – hield op – is opgehouden (r. 65)

De meeste mensen houden op met werken als ze tussen de 60 en 65 jaar zijn. Dan gaan ze met pensioen.

de regeling (r. 59)

Volgens deze regeling hebben werknemers van 58 jaar en ouder recht op een paar extra vrije dagen per jaar.

stemmen – stemde – gestemd (r. 46)

Iedereen heeft zijn argumenten voor of tegen het plan gegeven. We gaan nu stemmen. Wie is vóór het plan? Steek je hand op!

uitvoeren – voerde uit – uitgevoerd (r. 14)

1. Het onderzoek is bedacht door een docent, en een groepje studenten voert het onderzoek uit.
2. Nederland voert veel producten uit: bloemen, vlees, melkproducten.

weigeren – weigerde – geweigerd (r. 31)

Rosa is vegetariër. Ze weigert vlees te eten.

zelfs (r. 20)

We hadden een heel luxe vakantiehuisje gehuurd. Er stond zelfs een computer!

Vocabulaire-oefening

Welke reactie (a of b) kan volgen?

1 Wat zullen we kopen voor Angela? Bloemen? Of een boekenbon? Zullen we stemmen?
  a Prima, dat is het eerlijkst.
  b Goed, vraag het maar aan Angela zelf.

2 Docenten hebben tegenwoordig minder gezag dan vroeger.
  a Ja, leerlingen durven veel meer te zeggen.
  b Ja, vroeger hadden ze een betere opleidng.

3 Deze geldautomaat weigert mijn bankpas!
  a Dan kun je hier niet veel geld opnemen.
  b Dan moet je naar een andere automaat gaan.

4 Het examen is 's middags van 14.00 tot 17.00 uur. Er is een speciale regeling voor avondstudenten.
  a Bedoelt u dat avondstudenten het examen op een ander moment kunnen doen?
  b Bedoelt u dat avondstudenten in een andere zaal zitten?

5 Elsa laat zich onder druk zetten door haar baas.
  a Ja, omdat zij bang is dat zij haar baan verliest.
  b Ja, omdat zij een andere baan zoekt.

6 Joyce en Marc bespreken alles met hun kinderen, zelfs de financiële zaken.
  a Dat is inderdaad bijzonder.
  b Ja, dat doet iedereen.

7 Deze zaal biedt ruimte aan dertig personen.
  a Nee, er zijn maar twintig mensen.
  b Ja, zoveel kunnen er wel zitten.

8 In welk geval moet ik een toelatingstest doen?
  a In gebouw 18, zaal 114.
  b Als u geen ervaring hebt met dit werk.

9 Marga heeft bepaald dat ze na haar huwelijk niet de achternaam van haar man gaat gebruiken, maar haar eigen naam houdt.
   a Ja, zo staat dat in de wet. Daar kun je niets aan veranderen.
   b O, mag je kiezen? Dat wist ik niet.

10 Volgens mij heb jij de hele dag tv gekeken en niets uitgevoerd.
   a Dat denk jij maar! Ik heb juist heel hard gewerkt!
   b Dat klopt. Ik heb boodschappen gedaan en het huis schoongemaakt.

11 Waarom ben jij opgehouden met tennissen?
   a Ik had er geen tijd meer voor.
   b Het gaf me veel nieuwe energie.

12 Ernst en Agnes gaan trouwen en ze geven een echte traditionele bruiloft.
   a O, dus met alle authentieke gewoontes? Wat leuk!
   b O, dus het wordt een mix van hun twee culturen? Wat leuk!

13 Waarom heeft Rick de leiding van de reorganisatie?
   a Omdat hij er last van heeft.
   b Omdat hij daar ervaring mee heeft.

Toepassingsoefening

Werk in tweetallen. Reageer met het woord tussen haakjes.

1 Sommige mensen kunnen heel goed werken als ze iets heel snel moeten doen. En jij? (druk)
2 Rookt Victor nog steeds? (ophouden)
3 Wie doet dat onderzoek? (uitvoeren)
4 Sven werkt ontzettend hard. Werkt hij elke dag? (zelfs)
5 Betalen mensen die alleen wonen even veel belasting als mensen die een gezin hebben? (regeling)
6 Mag je zelf kiezen wanneer je vakantie neemt? (bepalen)
7 Gert heeft een jonge hond gekocht. Hij gaat met die hond naar een training. Waar is zo'n training goed voor? Wat leert een hond daar? (gezag)
8 De deelnemers van jullie groep hebben verschillende ideeën voor een gezamenlijke activiteit. Hoe kom je tot een besluit? (stemmen)

9 Wanneer gaat een les niet door? (geval)
10 Wat is de functie van het Bureau Studentenpsychologen? (bieden)
11 Je moet alle negatieve punten van je medecursisten noteren. (weigeren)
12 Heeft Carla een baan met veel verantwoordelijkheid? (leiding)
13 Ik heb gehoord dat je in een supercursus van twee dagen een andere taal kunt leren. (echt)

Spreekopdracht

- Jullie gaan met z'n drieën/vieren een weekend naar een vakantiehuis. Het vakantiehuis ligt in het bos, op 20 kilometer afstand van een grote stad. Voor de zaterdag moeten jullie samen beslissen wat jullie gaan doen. Wat doe je 's ochtends, 's middags en 's avonds? Waar ga je eten? Wat jullie doen, doen jullie samen.
- Ieder krijgt een briefje met 4 dingen die jij wilt doen, een ander heeft andere wensen. Zorg ervoor dat er 2 dingen van jouw lijstje gedaan worden. Probeer de ander te overtuigen, argumenteren is dus erg belangrijk!

Oefening 4

Ga in groepjes van drie zitten. Stel aan de andere personen een beleefde vraag, vraag naar een droom en naar een wens. Hieronder staan enkele suggesties maar je mag natuurlijk ook zelf iets bedenken. Probeer een vorm van *zou* te gebruiken.

Beleefde vragen
mobieltje gebruiken
samen werkstuk maken
boek lenen
op mijn tas letten
boodschap doorgeven aan de docent
je adres opschrijven
...

Dromen
Wat zou je doen, als je tien jaar ouder zou zijn?
Wat zou je doen, als je op een onbewoond eiland zat?
Wat zou je doen, als je volgende week zou trouwen?

Wat zou je veranderen, als je helemaal opnieuw zou kunnen beginnen?
Wat zou je veranderen, als je de president van je land was?
Wat zou je je beste vriend(in) willen geven, als je genoeg geld zou hebben?
Als je in een andere tijd zou moeten leven, welke tijd zou je dan kiezen?
...

Wensen
Naar welk gebied op de wereld zou je graag willen gaan?
Welke studie zou je het liefst willen doen?
Zou je een relatie met een Nederlander willen hebben?
Welke beroemde persoon zou je graag willen ontmoeten?
In welk land zou je een tweede huis willen hebben?
Welke eigenschap zou je graag bij je partner willen veranderen?
In welke sport zou je heel goed willen zijn?
...

Schrijfopdracht

Beantwoord een van de volgende mailtjes.

Beste Thomas,

Zoals je weet hebben Inge en ik nu drie jaar een relatie. We zijn allebei net klaar met onze studie en nu kan Inge een heel goede baan krijgen in het buitenland. Ze wil graag dat ik meega, maar een baan voor mij is daar niet mogelijk. Ik weet niet wat ik moet doen. Meegaan zonder baan of hier blijven zonder Inge?
Kun je me raad geven? Wat zou jij doen?

Nou de groeten,
Mark

Lieve Lisa,

Help Lisa. Ik moet echt even met je praten. Je weet dat ik Alex al een lange tijd erg leuk vindt, maar ja, hij is de vriend van Suzanne en zij is weer een goede vriendin van mij. Heel lastig dus. Afgelopen weekend was er een feest

en toen hebben we staan zoenen. Ik ben echt helemaal verliefd, wat heel leuk is, maar ik voel me erg vervelend tegenover Suzanne.
Wat zou jij doen?

Liefs, Ella

Hoi Karin,

Heel lang kwam ik geen leuke man tegen en dan nu twee tegelijk. Het zijn twee vrienden. De een is een buitenlander die heel lief, aardig en attent is, maar niet sexy. De ander is een student hier aan de universiteit. Hij is echt ontzettend knap, maar hij is wel egocentrisch. Hij vindt zichzelf erg belangrijk.
Tja, ik vind ze allebei heel leuk. Een combinatie zou ideaal zijn! Wie moet ik kiezen? Wat zou jij doen?

Groetjes, Sandra

Hoi Arthur,

Heel lang kwam ik geen leuke vrouw tegen en dan nu twee tegelijk. Het zijn twee vriendinnen. De een is een buitenlandse die heel lief, aardig en attent is, maar niet sexy. De ander is een studente hier aan de universiteit. Zij is echt ontzettend knap, maar ze is wel egocentrisch. Ze vindt zichzelf erg belangrijk.
Tja, ik vind ze allebei heel leuk. Een combinatie zou ideaal zijn! Wie moet ik kiezen? Wat zou jij doen?

Frank

Prepositie-oefening
Vul de juiste prepositie in. Controleer daarna je antwoorden. Noteer de combinaties die je fout had.

Contact gezocht en aangeboden

Ik, sportieve vrouw ________ 28 jaar, ben ________ zoek ________ een leuke vriend. Ik ben afgestudeerd, heb werk en ben best tevreden ________ mezelf. Maar ik ben eenzaam! ________ plaats ________ gezellig samen ________ de bank zitten, zit ik 's avonds uren ________ mijn eentje ________ de tv. Iemand vinden ________ de kroeg, dat wil ik niet meer, ________ deze fase ________ mijn leven. Belangstelling? Schrijf: Angela. Brief nr. 5692.

Wil je ook gewoon een goed gesprek ________ een ander? Heb je respect ________ vrouwen? En ________ mannen? Ben je je bewust ________ je fouten? Ben je bereid te discussiëren ________ anderen ________ de belangrijke dingen ________ het leven? Kun je niet zo gemakkelijk ________ contact komen ________ anderen? Kom ________ onze grote singles-avond, zaterdag 13 september, ________ Café Paradis.

Ik, vader ________ zeven kinderen ________ 5 en 15 jaar, zoek contact ________ een vrolijke, niet oppervlakkige vrouw (25 ________ 40 jaar). Mijn vrouw is gestorven en de kinderen lijden daar erg ________. Ik zoek iemand die mij kan helpen ________ het huishouden, die ________ de kinderen kan onderhandelen ________ allerlei dingen (hoe laat ze ________ bed moeten, bijvoorbeeld) en die de baas ________ de kinderen kan zijn. Speel je gitaar? Dan ben jij de persoon ________ wie we ________ zoek zijn! Schrijf F. von Trapp, brief nr. 5976

________ ervaring weet ik dat mensen ________ contactadvertenties altijd doen alsof ze supermensen zijn. Ik heb al veel geld uitgegeven ________ zulke advertenties, en ________ etentjes om kennis te maken ________ elkaar. ________ het eind ________ de avond is het altijd hetzelfde: óf de ander wil alleen maar met je ________ bed, wil helemaal geen relatie, óf hij wil meteen onderhandelen ________ de relatie: ________ welk huis gaan we wonen, wie gaat ________ deeltijd werken, en dergelijke. Ik zou er een boek ________ kunnen schrijven ... en dat ga ik doen! Heb jij (man/vrouw) ook ervaring ________ dit opzicht? Wil je meewerken ________ zo'n boek? Schrijf S. Perrier, brief nr. 9348.

Luisteropdracht: Spoorloos

Nathalie Rijnders is 32 jaar. Ze woont in Maastricht en is op zoek naar haar vader.

Lees eerst de vragen, bekijk dan het beeldfragment en beantwoord daarna de vragen.

1. Hoe en wanneer heeft Nathalies moeder haar vader leren kennen?
2. Waarom is de relatie verbroken?
3. Was het een serieuze relatie, volgens haar moeder? En volgens haar vader?
4. Wat weet je allemaal van de vader van Nathalie?
5. Was het bij andere mensen bekend dat haar vader en moeder toen een relatie hadden?
6. Nathalie lijkt op haar vader. Welke overeenkomsten hebben ze?
7. Waarom wil Nathalie haar vader leren kennen?

Derk Bolt van 'Spoorloos' gaat op zoek naar Nathalies vader. Bedenk wat er allemaal gebeurd kan zijn. Wat zouden de antwoorden op de volgende vragen zijn?

1. Waar zou hij wonen?
2. Zou hij getrouwd zijn, en met wie?
3. Hoeveel kinderen zou hij nu hebben?
4. Zou hij van het bestaan van Nathalie weten?
5. Zou hij Nathalie willen zien?

Bekijk nu het laatste fragment.

Luisteropdracht

Over wie zingt de zanger?
Waaruit blijkt dat hij die persoon mist?

Dromen van de toekomst

Wat ik nou
Zo graag zou willen doen
Is te dromen in jouw armen
Net als toen

Voordat het
Te laat was of te vroeg
Wie zal het zeggen

Dromen van de toekomst
Van jou en mij
Dromen van de toekomst
Doet toch geen pijn

Wat ik nou
Zo graag zou willen doen
Is te denken aan die dagen
En nachten van toen

Hoe zou het
Met jou en mij nu zijn
Wie zal het zeggen

Dromen van de toekomst
Van jou en mij
Dromen van de toekomst
Doet toch geen pijn

Dromen van de toekomst
Dromen van de toekomst

Het verleden wordt vergeten
Het verleden is uit de tijd
Alles gaat verloren
En alles gaat voorbij

Maar weet je
Wat zo vreemd is al die tijd
In gedachten bleef je bij me
Je blijft me bij

Dromen van de toekomst
Van jou en mij
Dromen van de toekomst
Nee, dat deed toch geen pijn

Uitgevoerd door Frank Boeijen

REFLECTIE

Dit is het eind van een hoofdstuk. Denk erover na of je het volgende wel of niet kunt.

- ☐ Je kunt een zakelijke tekst zonder veel problemen begrijpen.
- ☐ Je kunt in een groep voorstellen doen om een beslissing te nemen.
- ☐ Je kunt in een groep overtuigen met argumenten.
- ☐ Je kunt de grammatica van dit hoofdstuk toepassen: beleefde vragen stellen met gebruik van *zou* en met behulp van *zou* praten over wensen en dromen.
- ☐ Je kunt redelijk gedetailleerde persoonlijke brieven schrijven waarin je een advies geeft.
- ☐ Je kunt een groot deel van een tv-programma met een interview begrijpen, als dat duidelijk en helder gepresenteerd wordt.
- ☐ Je kunt op basis van gehoorde informatie uitspraken doen over het verloop van een verhaal.
- ☐ Je kunt de grote lijn uit een liedje halen.

THEMA 8
Kunst en architectuur

Onbekende Mondriaan ontdekt

Een kunsthandelaar uit Ede heeft een nog onbekend schilderij van Mondriaan ontdekt. Het gaat om een figuratief werk uit de beginperiode van Mondriaan (1895-1898). Op het schilderij is een boerderijtje met daarvoor een hek te zien.

Het schilderij werd voor slechts 2500 euro op de kop getikt door een medewerker van kunsthandel Simonis en Buunk, die stad en land afreist op zoek naar nieuwe aanwinsten.
'Het doek komt uit een verkoop bij een bejaardenhuis in Noord-Holland,' legt kunsthandelaar Frank Buunk uit. 'We weten niet wie de eigenaar was, alleen dat het geld ten goede komt aan het bejaardenhuis.'

Krachtige hand

De medewerker kon het schilderij niet meteen thuisbrengen, maar maakte er wel een foto van. Buunk: 'Hij kwam met een foto en vroeg me of het een Mondriaan was. Dat kon ik op basis van de foto niet zeggen, maar ik vond het wel een interessant doek. Het is geschilderd met een hele krachtige hand en het lijkt het meest op het werk van landschapsschilder H.J. Weissenbruch. We hebben het vervolgens als studie-object gekocht. Het was tenslotte niet duur.'

→

Na zijn vakantie zag Buunk het inmiddels schoongemaakte doek voor het eerst in het echt. 'Ik dacht meteen: Dit is een Mondriaan.' Inmiddels heeft ook Mondriaan-kenner J. Joosten bevestigd dat het om een echte Mondriaan gaat.

Waarde

De waarde van het schilderij wordt geschat op 50.000 euro. Toch wil Buunk het werk niet verkopen. 'Dat vinden we niet netjes. Het is leuker om de mensen ervan te laten genieten. Daarbij, het kostte zo weinig.' In plaats van het te verkopen geeft Buunk de Mondriaan liever in bruikleen aan een museum. 'Omdat het Haags gemeentemuseum al zoveel Mondriaans heeft, zitten we eraan te denken het in bruikleen te geven aan het Mondriaan-huis.'

Piet Mondriaan (1872-1944) maakte in zijn beginperiode figuratieve schilderijen. Later in zijn leven werden zijn werken steeds abstracter. In 1986 werd een vroege Mondriaan voor een recordbedrag van 100.000 gulden* verkocht. Voor een abstracte Mondriaan worden miljoenen betaald. Zo kocht de Nederlandse regering in 1998 het laatste schilderij van Mondriaan, 'Victory Boogie Woogie' voor tachtig miljoen gulden*. Het doek hangt in het Haags Gemeentemuseum.

* 100.000 gulden is ongeveer 45.000 euro. Tachtig miljoen gulden is ongeveer 36 miljoen euro.

Bron: Website van het NOS-nieuws, 14 augustus 2003

Vragen bij de tekst

1 Waarom kocht de medewerker van de kunsthandel het doek niet meteen?

a Hij vond het eigenlijk te duur.
b Hij twijfelde of het wel een echte Mondriaan was.
c Hij wist niet wie de eigenaar was.

2 Waarom wil kunsthandelaar Buunk het schilderij nu niet verkopen?

a Hij vindt het correcter om het aan musea uit te lenen.
b Hij weet niet wie de eigenaar is.
c Hij wil wachten tot het schilderij meer waard wordt.

3 Welk soort werken van Mondriaan zijn het meest waard?

a De figuratieve werken uit zijn beginperiode.
b De abstracte werken.
c Ze zijn allebei evenveel waard.

Vocabulaire

op basis van (r. 29)
Ik heb die tekening gemaakt op basis van een foto. Wat ik zag op die foto, heb ik nagetekend.

gaan om - ging - is gegaan (r. 3)
Iedereen kan aan deze fotowedstrijd meedoen want het gaat niet om de techniek maar om de originaliteit.

genieten van - genoot - genoten (r. 53)
Het was een erg gezellige dag! Ik heb er echt van genoten.

netjes (r. 51)
1 Toen hij een cadeautje van mij kreeg, heeft hij niet bedankt. Dat is niet netjes.
2 In hun huis is het altijd opgeruimd: er ligt nergens troep. Het is er altijd heel netjes.

in plaats van (r. 54)
We zouden naar het Van Gogh Museum in Amsterdam gaan maar in plaats daarvan hebben we het Kröller-Müller museum in Otterlo bezocht. Het Van Gogh Museum komt wel een andere keer.

tenslotte (r. 37)
Wat is het verschil tussen kunst en kitsch? Dat moet jij toch weten, jij hebt tenslotte kunstgeschiedenis gestudeerd.

ten slotte
We hebben eerst een museum bezocht, daarna hebben we gewinkeld en ten slotte hebben we in een Italiaans restaurant gegeten.

vervolgens (r. 36)
Eerst loop ik in een museum door alle zalen, vervolgens bekijk ik een aantal schilderijen beter.

Vocabulaire-oefening

Vul woorden uit de lijst in.

A We moeten nog iets organiseren voor ons jaarlijkse uitstapje van onze vriendenclub.

B Ja dat klopt. Ik hoop dat we net zo veel plezier hebben als vorig jaar want toen heb ik er ontzettend ________ (1) ________ (1). Heb je al een idee?

A We zouden eerst samen ergens koffie kunnen drinken, ________ (2) een hele lange strandwandeling maken en ________ (3) ________ (3) na het eten met de trein weer terug.

B Leuk, maar misschien kunnen we ________ (4) ________ (4) ________ (4) teruggaan, daar blijven overnachten. Of wordt dat dan te duur?

A Als je een hotel hebt ________ (5) ________ (5) ________ (5) logies en ontbijt, dan valt het wel mee. Het is niet echt duur. ________ (6) ________ (7) het maar ________ (7) één nacht.

B Ik ken daar namelijk een leuk hotelletje, niet zo groot maar wel ________ (8). Zal ik eens informeren of er nog kamers vrij zijn?

Toepassingsoefening

Werk in tweetallen. Reageer met het woord tussen haakjes.

1 Je bent op vakantie eerst een week in Rome geweest en daarna? (vervolgens)
2 Noem eens iets wat je erg plezierig vindt. (genieten van)
3 Waarom is juist deze voetbalwedstrijd zo belangrijk? (gaan om)
4 Waarom heb je kaarten voor dat toneelstuk besteld? (op basis van)
5 Waarom moet jij dat allemaal beslissen? (tenslotte)
6 Toen ik laatst op straat een laptop naast een auto zag staan, heb ik hem meegenomen en de eigenaar opgebeld. (netjes)
7 Hoe zag de man eruit die die laptop kwam halen? (netjes)
8 Heb je ook gehoord dat de cursustijden zijn veranderd? (in plaats van)
9 Wat hebben jullie in de vergadering besproken? (ten slotte)

Spreekopdrachten

1 Je hebt een kunstwerk geërfd dat momenteel veel geld waard is.
Wat doe je?
Je krijgt een rol van de docent.

2 Je krijgt van je docent een aantal kunstkaarten. Welke vind je mooi en waarom?

Het licht is ...	scherp / fel / zacht
De kleuren zijn ...	fel / helder / donker / somber
De lijnen zijn ...	scherp / vaag
De vormen zijn ...	strak / hoekig / rond
Het doet me denken aan ...	de zee / verre landen / mooie zomerdagen
Het roept in mij gevoelens op van ...	vriendschap / verdriet / angst voor de dood / chaos
Volgens mij betekent het: ...	Je moet respect hebben voor dieren. Geluk zit in kleine dingen.

Oefening 1
Lees de volgende dialogen en let op de vorm van de reactie.

- Hoe duur is dat schilderij?
- De waarde wordt geschat op achtduizend euro.

- Heeft Jacob zijn baan opgezegd?
- Ja. Hij werd slecht betaald, vond hij.

- Mogen we aan die tafel bij het raam zitten?
- Nee, het spijt me. Die is gereserveerd.

- Kon je nog kaartjes krijgen voor het theater?
- Nee, alles was al uitverkocht.

- Waarvoor wordt deze zaal gebruikt?
- Er worden hier veel voorstellingen gehouden.

- Heb je genoten van de opera?
- Ja, er werd erg mooi gezongen.

Passieve zinnen

De reacties zijn zinnen in de passieve vorm.
Vergelijk de actieve en de passieve vorm van deze zinnen:

	Actieve vorm	**Passieve vorm**
Presens	De experts schatten de waarde op € 8.000,-	De waarde wordt (door de experts) op € 8.000,- geschat.
Imperfectum	De baas betaalde Jacob slecht.	Jacob werd slecht betaald.
Perfectum	Anderen hebben die tafel gereserveerd.	Die tafel is gereserveerd.
Plusquam-perfectum	Peter had alles al verkocht.	Alles was al verkocht.
	Ze (wie?) houden hier veel voorstellingen.	Er worden hier veel voorstellingen gehouden.
	Men zong mooi.	Er werd mooi gezongen.

In de actieve vorm ligt de nadruk meer op het subject, degene die de handeling doet.
In de passieve vorm ligt de nadruk meer op de handeling.

Oefening 2

Zet deze zinnen in de passieve vorm.

1. Men helpt de kinderen bij de puzzeltocht door het museum.
2. Men lachte hard.
3. Ze hebben de kunstdiefstal opgelost.
4. De ambassadeur opent de tentoonstelling.
5. Dit lied componeerde men voor de verjaardag van de koningin.
6. Een Italiaanse architect ontwierp de gebouwen rond het plein.
7. Iemand heeft hier gerookt.

8 Men had de foto niet goed afgedrukt.
9 Ze bouwen een nieuw theater.
10 Ze stelen hier veel fietsen.
11 Ik heb de kaartjes al in september besteld.
12 Ze hadden alle bekende journalisten uitgenodigd voor de première.

Oefening 3

Zoek de passieve vormen in deze teksten.

September 2003
Op 12 september is de uitreiking van de 'Groene Olijf'. Deze kunstprijs is een initiatief van ArtOlive en wordt uitgereikt aan de meest talentvolle afstudeerder aan een Nederlandse kunstacademie van het afgelopen jaar.
www.artolive.com

Kunstbeeld wil kunst en kunstgeschiedenis toegankelijk maken voor iedereen. Op dit moment zijn de volgende stromingen in de kunstgeschiedenis opgenomen: Romaanse kunst, gotiek, renaissance, barok, classicisme, romantiek, realisme, impressionisme.
www.kunstbeeld.com

De cursussen en workshops staan zowel open voor beginners als gevorderden. Elke deelnemer wordt individueel begeleid. In het algemeen zorgen de deelnemers zelf voor het schildermateriaal.
Als er op locatie wordt gewerkt, worden schilderbenodigdheden, zoals ezels, tekenplanken, stoelen en andere bagage door de organisatie weggebracht.

AMSTERDAM – De eerste fase van de Hermitage Amsterdam wordt op 28 februari 2004 voor het publiek geopend. Dat is vandaag bekendgemaakt door de Stichting Hermitage aan de Amstel op een persconferentie in de toekomstige behuizing van het nieuwe museum, Gebouw Neerlandia aan de Nieuwe Herengracht.

VROEG BEGIN
Al in 1996 is Stichting KunstKontakt opgericht met als doel kunstenaars een sterkere positie in de kunstmarkt te geven. Door een gezamenlijke presentatie van kunstenaars op het internet is dat mogelijk gemaakt. Inmiddels is dit idee door vele initiatieven opgevolgd.

Oefening 4
In krantenkoppen staan ook vaak passieve vormen. Dan zijn ze vaak verkort, zonder de werkwoorden *worden* en *zijn*.

Kijk maar naar de tekst: Onbekende Mondriaan ontdekt.
Wat is de uitgebreide vorm van deze kop?

Noteer ook de uitgebreide vorm van deze koppen:

Ziekenhuis met veel muziek geopend

Zestien scooterrijders bekeurd

Manuscript uit de zeventiende eeuw gevonden in zolderkast

Woningen aan de Rietbaan snel verkocht

Gerrit Th. Rietveld

In 1924 ontwierp een lid van de Stijlgroep, Gerrit Th. Rietveld (1888-1964) in Utrecht een woonhuis voor Truus Schröder-Schräder. Haar man was pas gestorven en ze had besloten voor zichzelf en haar drie kinderen een kleiner huis te laten bouwen. Ze schakelde Gerrit Rietveld in, die ze goed kende van een eerdere verbouwing.

Truus Schröder had duidelijke ideeën over hoe haar huis moest worden. Rietvelds benadering sloot er nauw bij aan. Ze werkten samen aan het project, waarbij zij met name de indeling van het interieur voor haar rekening nam, terwijl Rietveld het totaalontwerp maakte. Truus Schröder wilde wonen op de eerste verdieping in een flexibele ruimte. De verschillende kamers zouden – op het trappenhuis en de badkamer na – van elkaar gescheiden moeten worden door losse wanden, die men overdag open kon schuiven, zodat er dan een grote woonruimte ontstond. Volgens de Utrechtse bouwverordening echter mocht dat niet. Tussen slaap- en woonkamers waren vaste scheidingswanden vereist. Rietveld loste het probleem op door de begane grond wel een vaste indeling te geven en de verdieping zolder te noemen.

Rietveld was van oorsprong meubelmaker in Utrecht. Hij begon in 1911 in de avonduren een architectenopleiding bij de architect Klaarhamer, een compagnon van Berlage. In 1919 vestigde Rietveld zich als zelfstandig architect. In hetzelfde jaar werd hij lid van De Stijl. Hij had enkele leden van De Stijlgroep leren kennen, zoals Bart van der Leck, J.J.P. Oud, Van Doesburg en Van 't Hoff. De laatste had net een stoel gezien die Rietveld een jaar tevoren had ontworpen. In die stoel had Rietveld als het ware de ruimte zichtbaar gemaakt. De vorm van het zitmeubel was belangrijker dan het materiaal waaruit het bestond. Het was een uitdrukking van het elementaire zitten. Het geheel was opgebouwd uit zelfstandige onderdelen, uit vlakken, rechte lijnen en haakse hoeken. De leden van De Stijl waren er enthousiast over. Het leek werkelijk mogelijk de ideeën van De Stijl praktisch toe te passen. De stoel werd dan ook in 1919 gepubliceerd in het septembernummer van *De Stijl*. Rond 1923 schilderde Rietveld de stoel rood, blauw, geel en zwart.

Bij het ontwerpen van het Rietveld-Schröderhuis ging hij op dezelfde manier te werk. Hij ontkende als het ware het materiaal dat hij gebruikte: ijzer, hout, baksteen, grondstoffen die elk hun eigen individualistische trekjes vertoonden.

Dat deed hij door ze te schilderen in de 'universele' kleuren van De Stijl: rood, blauw, geel. Op die manier legde hij de nadruk op abstracte vlakken en lijnen. Zo leek het huis ook minder massief. Muren waren geen muren meer, maar vooruitspringende of terugwijkende vlakken. Rietveld wilde de ruimte binnen ook niet afsluiten van die van buiten.

→

Actief wonen

90 In het woongedeelte op de eerste verdieping plaatste hij een hoekraam dat zo geconstrueerd was dat, als het open was, de hoek van de kamer overging in de open 95 lucht. Licht vormde overal een wezenlijk onderdeel van de ruimte: grote glasvlakken boven, veel ramen beneden. Truus Schröders wens om een flexibele woonindeling 100 te hebben, kwam overeen met de ideeën van Rietveld over wonen. Hij vond het traditionele wonen in duidelijk afgescheiden kamers passief. Men zou actief 105 moeten wonen, bewust de ruimte gebruiken. Daar moest men wel wat voor doen, zoals met wanden schuiven en meubels in- en uitklappen. In het Rietveld-Schröder 110 huis kon hij naar hartelust experimenteren. Toch bleek het kleine formaat van de woonverdieping onhandig voor een gezin met opgroeiende kinderen. De slaap- 115 kamers waren alleen te maken door met wanden te schuiven, en dat gaf niet genoeg privacy. Toen Truus Schröder er later alleen woonde, kwam het beter tot zijn 120 recht. Bij haar dood liet zij haar huis na aan de stad Utrecht.

Naar: www.digischool.nl/ckv1/architectuur/rietveld/Gerrit1.htm

De Stijl

Tot De Stijl behoorde een groep van voornamelijk Nederlandse kunstenaars rond het gelijknami- 125 ge tijdschrift, in 1918 door Theo van Doesburg opgericht. Met gebruik van elementaire beeldende middelen (zoals de rechthoek en de rechte lijn) en primaire kleu- 130 ren ontwikkelden zij een nieuwe richting in de kunst, met name de schilderkunst en de bouwkunst. De filosofie dat kunst en leven één kunnen worden, staat centraal in 135 het programma van De Stijl.

Bekend bouwwerk in deze stijl is het Schröderhuis (1924, Utrecht), ontworpen door Gerrit Rietveld. Met de dood in 1931 van Van 140 Doesburg kwam er ook een eind aan het tijdschrift. *De Stijl* heeft invloed gehad op de internationale abstracte kunst. Na de Tweede Wereldoorlog vormde De Stijl een 145 belangrijke inspiratiebron voor diverse architecten. De visie van De Stijl is uitgewerkt in enkele stedenbouwkundige ontwerpen en uitbreidingsplannen voor Amster- 150 dam.

Naar: dutcharchitecture.com/bouwstijl.htm

Vragen bij de teksten (op blz. 202 t/m 204)

1 Waarom wilde Truus Schröder-Schräder geen vaste wanden tussen de woonkamer en de slaapkamer?
   a Ze wilde een grote woonruimte met mogelijkheden voor een flexibele indeling.
   b Ze wilde niet op de benedenverdieping wonen.
   c Ze wilde de slaapkamers op een andere verdieping hebben dan de woonkamer.

2 Wat zijn de overeenkomsten tussen het huis en de stoel?
   a Het is belangrijk dat het ontwerp flexibel is, zodat je alles steeds kunt veranderen.
   b Het is het belangrijkst dat het praktisch is.
   c De vorm en kleur zijn het belangrijkst.

3 Was het ontwerp van het huis in de praktijk een succes?
   a Nee, het bleek toch niet zo praktisch te zijn.
   b Nee, het was niet licht genoeg.
   c Nee, je kon er niet actief genoeg in leven.

4 Heeft de groep De Stijl invloed gehad?
   a Nee, al in 1931 stopte de groep.
   b Ja, met name op de abstracte kunst en architectuur.
   c Niet echt, er zijn nog maar een paar huizen in die kunstrichting.

Vocabulaire

aansluiten bij – sloot aan – aangesloten (r. 15)
: Deze opdracht sluit aan bij het bezoek aan het museum. Je kennis over het museum kun je gebruiken voor je opdracht.

de nadruk (r. 81)
: In ons koor zingen we soms ook moderne liederen, maar de nadruk ligt op de klassieke muziekstukken. Die zingen we meestal.

met name (r. 17)
: Er zijn in Nederland veel huizen gebouwd in deze stijl, met name in de grote steden. In de grote steden vind je nog veel voorbeelden van deze vorm van architectuur.

op ... na (r. 23)
We zijn klaar met het verven van het huis, op de gang na. De gang verven we volgend weekend. Dan zijn we helemaal klaar.

tot zijn recht komen – kwam – is gekomen (r. 120)
Je moet deze kast in de woonkamer zetten, tegen die zonnige muur. Dan komt hij beter tot zijn recht. Dan zie je goed hoe mooi die kast is.

voor zijn rekening nemen – nam – genomen (r. 18)
Robert brengt 's avonds de kinderen naar bed, terwijl Henny de afwas voor haar rekening neemt. Zo hebben ze de taken in het huishouden verdeeld.

de richting (r. 131)
Sylvia studeert aan de kunstacademie. Ze doet de richting filmkunde.

de uitdrukking (r. 56)
1 Dit muziekstuk is de uitdrukking van de emoties van de componist na de dood van zijn dochter. Je kunt horen hoe verdrietig hij is.
2 'Oost, west, thuis best' is een uitdrukking om te zeggen dat je eigen huis de beste plek is.

zich vestigen – vestigde – gevestigd (r. 42)
Na zijn studie tandheelkunde vestigde hij zich als tandarts in een dorp in Zeeland. Hij vindt het nog steeds heerlijk om daar te wonen en te werken.

het vlak (r. 59)
Deze schilder werkt met rechte lijnen en grote vlakken. Sommige vlakken zijn wel twee bij drie decimeter groot.

als het ware (r. 51)
Bij deze tentoonstelling was een kamer met ontzettend grote meubels, bijvoorbeeld een tafel van twee meter hoog. Je zag de ruimte als het ware door de ogen van een kind.

Vocabulaire-oefening

Herschrijf de gekleurde woorden of woordgroepen. Gebruik daarbij een van de woorden uit de lijst.

1 Hanna studeert aan het conservatorium, ze doet **een studie op het gebied van de** lichte muziek. = ____________________
2 **Ze moet nog één tentamen doen, dan** is ze klaar met haar studie. = ____________________
3 Ze vond haar studie wel zwaar, **vooral** de theorie. = ____________________
4 Gelukkig **is** bij deze studie de praktijk **het belangrijkste**. = ____________________
5 Hanna wil graag **haar eigen zaak beginnen** als privé-docent muziek. = ____________________
6 Ze vindt dat iedereen een eigen vorm heeft van **het laten zien** van gevoelens. = ____________________
7 Dat **past** ook bij de behoefte van mensen aan individuele aandacht. = ____________________
8 Zo kan iedereen **laten zien wat hij waard is**. = ____________________

Toepassingsoefening

Werk in tweetallen. Reageer met het woord tussen haakjes.

1 Waar ga / ging je wonen na je studie? (zich vestigen)
2 Zijn we klaar met deze cursus? (op ... na)
3 Deze schilder gebruikt altijd heel donkere kleuren, en soms heel felle kleuren. Wat betekent dat? (uitdrukking)
4 We moeten ook reclame maken voor onze tentoonstelling. Wie doet dat? (voor zijn rekening nemen)
5 Die cursus kunstgeschiedenis, wat is dat voor cursus? (nadruk)
6 In deze tent vertonen ze een film, die over het hele doek, rondom het publiek, geprojecteerd wordt. (als het ware)
7 Mijn vriend studeert Engels. (richting)
8 Waarom hang je dat schilderij niet in de gang? (tot zijn recht komen)
9 Wat is een mozaïek? (vlak)
10 Zijn er veel oude steden in Nederland? (met name)
11 Waarom gebruikt de docent deze methode? (aansluiten bij)

Schrijfopdracht

- Beschrijf een gebouw dat je bijzonder vindt.
- Beschrijf een kunstwerk dat ergens in het openbaar staat, bijvoorbeeld een beeld op een plein. Leg uit waarom je dit kunstwerk mooi vindt, of waarom juist niet.

Spreekopdracht

Werk in groepen van drie of vier.
Ben je al in een museum in Nederland geweest? Vertel aan de anderen over dit museum. De anderen kunnen er vragen over stellen. Geef elkaar tips voor leuke musea.

Schrijf- en spreekopdrachten

Heb jij oog voor kunst?

Kunststipendiumcommissie: vier nieuwe leden gezocht!

Het Kunststipendium is een uniek initiatief van jouw universiteit. De inzender van het beste kunstzinnige voorstel wint 5000 euro om zijn of haar voorstel uit te voeren. Maar naast deelnemers zijn er natuurlijk mensen nodig voor de uitvoerende commissie. Er staat een subsidie tot

je beschikking om het kunststipendium te promoten en de prijsuitreiking te verzorgen.

Uit: pamflet RUG, z.j.

A Het lijkt je leuk om lid te worden van de Kunststipendiumcommissie. Je schrijft een e-mail waarin je vertelt dat je belangstelling hebt. Je schrijft ook waarom jij vindt dat je een geschikt lid bent.

B Je bent lid van de Kunststipendiumcommissie. Je moet met z'n vieren allerlei voorstellen beoordelen. Dat is niet gemakkelijk! Je bedenkt daarom van tevoren met elkaar een aantal criteria waaraan een voorstel moet voldoen.

C De Kunststipendiumcommissie kan 5000 euro besteden aan de promotie en prijsuitreiking van het Kunststipendium. Je overlegt met elkaar wat jullie gaan doen om het Kunststipendium te promoten en hoe de prijsuitreiking eruit zal zien.

Oefening 5

Zoek iemand in de groep

- die wel eens door een hond is gebeten
- die wel eens vergeleken wordt (of werd) met een broer of zus
- die wel eens geholpen wordt bij het huiswerk voor deze cursus
- die wel eens verkeerd begrepen is
- die wel eens gestoken is door een mug
- die vroeger naar school gebracht werd
- die vorige week uitgenodigd is voor een feest
- van wie wel eens geld is gestolen
- die opgevoed is door zijn opa en oma
- die gisteren gebeld is

Prepositie-oefening

Vul de juiste prepositie in. Controleer daarna je antwoorden. Noteer de combinaties die je fout had.

We waren al lang op zoek ________ ons droomhuis. We dachten daarbij ________ een huis ________ het begin ________ de vorige eeuw. Een vriend ________ ons had toevallig ________ een dorp ________ de omgeving zo'n huis ________ koop gezien. Hij had er ook een foto ________ gemaakt. ________ basis ________ die foto zei ik eigenlijk al 'ja', en toen ik het huis ________ het echt zag, wist ik het zeker: dit huis komt precies overeen ________ onze droom.

We konden het huis ________ een redelijk bedrag kopen. We hadden geen echte ideeën ________ de inrichting, maar een broer ________ mijn vriendin, die ________ oorsprong architect is, wilde ons wel helpen ________ adviezen. Hij was meteen heel enthousiast ________ het huis. Het bestaat eigenlijk _________ twee delen: een deel is aangepast _________ de wensen _________ deze tijd, en het andere deel is nog _________ de oude, originele staat. _________ behulp _________ eenvoudige oplossingen lukte het hem een verbinding te maken _________ deze twee delen. Door de manier waar _________ hij dat heeft bedacht, komen beide delen goed _________ hun recht. Hij was heel trots _________ het resultaat. En wij waren (en zijn dat nog steeds) heel gelukkig _________ ons droomhuis!

Luisteropdracht: Het Rietveld-Schröderhuis

Bekijk het beeldfragment over het Rietveld-Schröderhuis en beantwoord de vragen.

1. Het huis is heel functioneel. Kun je daar een voorbeeld van geven?
2. Waarom was dit huis voor zijn tijd (1924) zo modern?
3. Waarom vond Rietveld ruimte en licht belangrijk?
4. Waarom past de centrale verwarming eigenlijk niet in het huis?
5. Wat is het nadeel van al die doordachte vormen en kleuren?

Luisteropdracht: Een Rietveldstoel

1. Je ziet dit fragment drie keer. Lees de tekst nog niet.
   Beantwoord na de eerste keer kijken deze vragen:

   1. Van wie is die stoel?
   2. Wanneer is die stoel gekocht?
   3. Hoe duur was die stoel toen?
   4. Wat is die stoel nu waard?

2. Lees nu de tekst, hieronder. Bekijk het fragment voor de tweede keer en maak de tekst compleet. Je moet goed luisteren.

   Douwe, je hebt een stoel meegebracht, die is van je oma. Hebben ze nog meer van die stoelen? Het lijkt me een eetstoel hè, een eetkamerstoel.

   Ja, hij is inderdaad van mijn opa en oma. _________________________, en het verhaal erachter is: ze hebben, zo rond 1960 hebben ze bij de meu-

belfabriek van Rietveld hebben tien stoelen besteld. Uiteindelijk hebben ze er een aantal gecanceld, omdat, ze kostten toen rond de 75 gulden volgens mij. Ze hebben toen vier hebben ze er afgezegd, omdat het te veel geld werd. En ja, ze woonden in het, in een Rietveldhuis, bij Oegstgeest.
______________________________ die goed bij hun andere interieur pasten.

En dat klopt hè, want het is een Rietveldstoel, een hele bijzondere.

Ja, een beroemd ontwerp van hem, de zogenaamde zigzagstoel, de z-stoel, nou, je ziet aan de vorm dat het in de vorm van een z is, en hij is van alle kanten mooi.

Wat is nu toch die schoonheid van die Rietveldmeubelen meneer Leidelmeijer, kunt u dat nou eens uitleggen?

Ik denk het ruimtelijk effect dat hij heeft gekregen door zo'n zigzag te maken. En ik denk ook het hele eenvoudige. Met weinig middelen eigenlijk een maximaal ontwerp te maken, dat maakt het ook zo bijzonder. En het past ook in de Nederlandse cultuur.

Rietveld was de ontwerper meneer Leidelmeijer, heeft hij hem ook uitgevoerd? Werd het ook door hem uitgevoerd?

______________________________ , in begin jaren, zeg maar begin jaren '20, maar later had hij een vaste meubelmaker, en dat was Gerard van der Groenekan. Die is heel oud geworden. Ik heb hem ook gekend. Ik ben ook in zijn atelier geweest. Ik heb het stempel gezien waarmee deze stoel is gestempeld, want vanaf 1958, '59 tot in de jaren '60 gebruikte hij dus het gestempelde signatuur. Daarvoor, zeg maar begin jaren '50, was het een klein plakkertje waar zijn naam op stond met het adres in De Bilt. En de vroege exemplaren, van voor de oorlog, die hebben helemaal geen stempel, helemaal geen signatuur. Dan moet je weten ______________________________
______________________________ om te weten of dat het om een echte Rietveldstoel gaat.

De grootouders van Douwe die hebben dus 75 gulden per stuk daarvoor betaald,

Dat was toen al veel geld.

Dat was toen heel veel geld, dat moeten we ook niet vergeten natuurlijk, hè. Maar ... zijn ze helemaal gaaf trouwens, Douwe, ____________________?

Ja. Ja, volgens mij zijn ze allemaal nog uitstekend volgens mij.

Wat zijn die nu waard meneer Leidelmeijer?

Voor de zes, de huidige marktwaarde, en dan voor die van 1960, tussen de 17.000 en de 19.000 euro.

Nou!

Nou, dat is ____________________.

Nou, ik kijk toch eens eventjes achterom, want jij bent met de stoel gekomen, ze zijn van je oma. Oma is er ook, hè? ____________________?

Nee, absoluut niet. Maar we hebben ontzettend gezocht. In een Rietveldhuis daar kun je niet alles neerzetten. Dus hebben we vreselijk gezocht en toen uiteindelijk hebben we deze stoel gevonden, en nou ja, goed, Rietveld zelf ____________________. Die vond het erg leuk in zijn eigen huis.

3 Jullie bespreken wat er ingevuld moest worden. Hierna zie je het fragment nog een keer.

DVD Luisteropdracht

Je hoort twee liedjes over een schilder: Mondriaan en Rembrandt van Rijn. De ene schilder wordt positief beoordeeld, de andere schilder negatief. Luister naar de liedjes.
Over welke schilder worden positieve dingen gezegd? Over welke negatieve dingen?

Luister nu nog een keer en lees de tekst. Onderstreep welke woorden, woordgroepen of zinnen iets positiefs of iets negatiefs uitdrukken.

Mondriaan

Mondriaan, Mondriaan
Het zal wel knap zijn maar ik vind er weinig aan.
Mondriaan, Mondriaan
Ik vind het ergens nergens op slaan.

Die man in het museum zegt dat je het gaat waarderen.
Ik wil het best wel doen, wil het wel proberen.
Maar het is toch niet zo gek dat mij dat maar niet lukt
bij iets wat op servetten en servies-goed wordt gedrukt.

Mondriaan, Mondriaan
Het zal wel knap zijn maar ik vind er weinig aan.
Mondriaan, Mondriaan
Ik vind het ergens nergens op slaan.

Die man in het museum heeft het over de essentie.
Ik kan er niets aan doen dat ik het niet zoals die vent zie.
Hij wordt echt lyrisch, hij beweert echt dat hij voelt
wat voor ons niet te zien is maar wat door hem werd bedoeld.

Mondriaan, Mondriaan
Het zal wel knap zijn maar ik vind er weinig aan.
Mondriaan, Mondriaan
Ik vind het ergens nergens op slaan.

Uitgevoerd door Circus Custers

Rembrandt

Dit is nog mooier dan de aller-mooiste foto.
Nee, nee, je weet niet wat je ziet.
Dit is nog mooier dan de aller-mooiste foto.
Nee, nee, je gelooft je ogen niet.

Al win je honderd keer de toto, dan kun je het niet kopen.
Dat iemand dat kan maken, daar valt echt je mond van open.

Rembrandt, Rembrandt van Rijn,
het had de opa van je opa's opa kunnen zijn.
Rembrandt, Rembrandt van Rijn,
een tovenaar met verf en terpentijn.

Met marterharen kwast, het is echt niet te snappen.
Nee, nee, je weet niet wat je ziet.
Zo mooi geschilderd dat je het zou willen gappen.
Nee, nee, je gelooft je ogen niet.

Mijn vader die maakt dia's en gaat
ie die projecteren,
dan lijkt het minder echt dan al die
nette hoge heren.

Rembrandt, Rembrandt van Rijn,
het had de opa van je opa's opa
kunnen zijn.
Rembrandt, Rembrandt van Rijn,
een tovenaar met verf en terpentijn.

Schutters van Amsterdam in hun
beste kleren.
Nee, nee, je weet niet wat je ziet.
Die stonden stijf en stram echt
dagen te poseren.
Nee, nee, je gelooft je ogen niet.

Al win je honderd keer de toto, dan
kun je het niet kopen.
Dat iemand dat kan maken, daar
valt echt je mond van open.

Rembrandt, Rembrandt van Rijn,
het had de opa van je opa's opa
kunnen zijn.
Rembrandt, Rembrandt van Rijn,
een tovenaar met verf en terpentijn.

Uitgevoerd door Circus Custers

REFLECTIE

Dit is het eind van een hoofdstuk. Denk erover na of je het volgende wel of niet kunt.

- ☐ Je kunt de grote lijn van een informatieve tekst over een specifiek onderwerp begrijpen.
- ☐ Je kunt de grammatica van dit hoofdstuk toepassen: je kunt passieve zinnen begrijpen en je kunt ze zelf construeren.
- ☐ Je kunt over kunst met anderen van gedachten wisselen.
- ☐ Je kunt met anderen overleggen, voorstellen doen en reageren op voorstellen van anderen.
- ☐ Je kunt iets gedetailleerd beschrijven.
- ☐ Je kunt een informele sollicitatiebrief schrijven.
- ☐ Je kunt woorden en woordgroepen die je gehoord hebt letterlijk weergeven.
- ☐ Je kunt een groot deel van een tv-programma over een specifiek onderwerp begrijpen, als dat helder en duidelijk wordt gepresenteerd.
- ☐ Je kunt uit een liedje de meest essentiële woorden halen.

THEMA 9
Literatuur

Hermans lezen helpt bij inburgeren

Vele duizenden middelbaar- en hoger opgeleide allochtonen leren Nederlands maar krijgen tijdens de opleiding geen literatuuronderwijs. En dat is jammer, meent Kees van der Waerden.

Op de middelbare school is literatuur een vast onderdeel binnen het vreemdetalenonderwijs. De eerste stappen in het Duits, Frans of Engels worden gezet met het lezen van literaire teksten en enige tijd later moet de middelbare scholier de 'echte' literatuur lezen. Op die manier krijgen leerlingen kennis van de cultuur van de Duitse, Engelse en/of Franse literatuur en bovendien is het hierdoor mogelijk om op een prettige manier die vreemde taal te leren.

In Nederland leren op dit moment vele duizenden middelbaar- en hoger opgeleide allochtonen Nederlands. Het uiteindelijke taalniveau ligt vaak boven het niveau van dat van de middelbare scholier die een vreemde taal leert. Niet verwonderlijk als men bedenkt dat deze volwassen anderstaligen drie tot vijf dagen per week naar school gaan om alleen Nederlands te leren, enkele jaren lang.

Maar welke literaire werken lezen deze nieuwe Nederlanders eigenlijk? Op welke wijze maken zij kennis met de Nederlandse taal, cultuur en letterkunde? Op geen enkele manier, want zij krijgen helemaal geen Nederlandse literatuur op school.

De oorzaak hiervan ligt in de eindtermen van de opleidingen Nederlands als Tweede Taal (NT2). De minister van Onderwijs heeft vastgesteld dat de teksten in eindtoetsen 'niet-fictioneel' moeten zijn. Het doel is namelijk te toetsen of de kandidaat voldoende kennis, inzicht en vaardigheden heeft verworven om het Nederlands adequaat te gebruiken voor zijn werk en opleiding, en voor de sociale contacten daarbij.

Men kan zich afvragen of de beperking tot niet-fictionele teksten daarvoor voldoende is. Een volgende vraag is: dan is dat toch ook voldoende voor de autochtone scholier, die ook een baan gaat zoeken of gaat studeren? Waarom wordt van de autochtone scholier wél geëist dat hij literatuur leest voor het schoolexamen en van de allochtone leerder niet? Waarom

gelden er andere regels? Wordt hier niet met twee maten gemeten?

Het is jammer dat NT2-cursisten geen literatuuronderwijs krijgen, want het zou goed zijn voor de inburgering en integratie van allochtonen. Nederlandse literatuur zou de immigrant inzicht kunnen geven in de Nederlandse cultuurgeschiedenis. De literatuur biedt een invalshoek om problemen, gewoontes en tradities van de Nederlandse samenleving zichtbaar te maken. Door het lezen van Nederlandse literaire teksten zou de volwassen anderstalige meer begrip en waardering kunnen opbrengen voor de waarden en normen in de samenleving, en dat kan segregatie verminderen.

De verplichte inburgeringcursus maatschappij-oriëntatie voor nieuwkomers beperkt zich tot het aanbieden van vooral praktische informatie over bijvoorbeeld uitkeringen, verzekeringen en belastingen. Daarentegen worden in de moderne Nederlandse letterkunde Nederlandse waarden als tolerantie, emancipatie, vrijheid, gelijkheid en solidariteit voor het voetlicht geplaatst en verbonden met normen en opvattingen over religie, seksualiteit, opvoeding, ouderdom en dood. Ongewenste, niet-westerse denkbeelden over bijvoorbeeld vrouwen en minderheden zouden ook met behulp van literatuuronderwijs kunnen worden tegengegaan. De lezer kan zich bewust worden van de eigen traditie en culturele kenmerken, en die bewustheid kan leiden tot meer tolerantie en relativisme.

Nederlandse schrijvers zijn op dit moment in het buitenland erg populair. We hoeven ons dus niet te schamen voor onze literatuur. Maar liefst op 200 buitenlandse universiteiten worden Nederlandse romans en gedichten in het Nederlands gelezen.

De volwassen anderstalige heeft vaak moeite met het aanleren van woorden en spreekpatronen, omdat het gebruik van de taal afhankelijk is van een specifieke context. De gevoelsbetekenis van woorden, het spelen met taal en stijlvormen kan men soms beter leren door het lezen van literaire teksten. Voor de deelvaardigheid 'lezen' in de opleiding Nederlands als Tweede Taal zijn de teksten nu alleen informatief, instructief, beschouwend of persuasief van aard. Dat is eenzijdig vanwege het zakelijk communicatieve karakter van deze teksten. Dit aanbod is te beperkt om mensen adequaat te laten functioneren in de Nederlandse samenleving.

Op het ministerie van Onderwijs bestaan plannen om de eindtermen van het vak Nederlands als Tweede Taal in de toekomst te verbinden aan het Europese Referentiekader Moderne Vreemde Talen. Dit zou een goede reden zijn

om, net als bij het vreemde talenonderwijs, Nederlandse literatuur als verplicht onderdeel in te voe-
150 ren bij het examen Nederlands als Tweede Taal.

Kees van der Waerden is beleidsmedewerker Onderwijs bij het Regionaal Opleidingscentrum ID College te Gouda.

Naar: *NRC Handelsblad*, 5 september 2002

Vragen bij de tekst

Kloppen deze stellingen volgens de tekst?

1. Nederlandse leerlingen kregen vroeger altijd literatuur in hun vreemdetalenonderwijs, maar tegenwoordig vindt men zakelijke teksten voldoende.
2. NT2-cursisten krijgen geen literatuuronderwijs omdat literatuur niet hoort bij de eindtermen van de opleidingen NT2.
3. NT2-cursisten krijgen geen literatuuronderwijs omdat de meeste literaire teksten te moeilijk zijn voor hun taalniveau.
4. In de NT2-opleidingen zit geen literatuur omdat de meeste cursisten alleen praktische informatie over Nederland willen.
5. Veel praktische informatie (over uitkeringen, verzekeringen, belastingen) kun je ook krijgen door het lezen van literatuur.
6. Door het lezen van literatuur kun je veel over taal leren.
7. Als NT2 hetzelfde behandeld wordt als het onderwijs in moderne vreemde talen, kan literatuur ook een onderdeel worden van de NT2-opleidingen.

Spreekopdracht

Discussieer over de volgende stellingen.

- Het is onbegrijpelijk dat er in methodes NT2 geen literatuur is opgenomen.
- Nederlandse literatuur wordt wel in het buitenland gepromoot maar niet voor buitenlanders in Nederland.
- Het lezen van kinderboeken is een goed alternatief voor het lezen van literatuur.

Vragen bij de tekst

- Welke Nederlandstalige schrijvers ken je?
- Heb je een favoriete schrijver?
- Heb je wel eens een boek in het Nederlands gelezen? Of een vertaling van een Nederlandstalige schrijver?

Leraren Nederlands willen Giphart nooit meer zien

Door onze kunstredactie

AMSTERDAM, 1 NOV. – **Nooit meer Ronald Giphart. Nooit meer Yvonne Keuls. Als het aan de docenten Nederlands op de middelbare school ligt, verdwijnen de boeken van deze schrijvers van de literatuurlijsten van hun leerlingen. Pijnlijk genoeg behoren Ghiphart (tweede plaats) en Keuls (zesde) juist tot de favoriete auteurs van scholieren.**

Dat blijkt uit een enquête naar de literaire smaak van leraren en leerlingen, gehouden door de Stichting Bulkboek. De resultaten zijn vandaag gepresenteerd op de Dag van het Literatuuronderwijs in Rotterdam. De 120 leraren die meededen gaven aan wat hun drie favoriete boeken van nu zijn, en welke drie dat waren toen ze zelf op de middelbare school zaten. Ook noemden ze de favoriete schrijvers van hun leerlingen.

Bij de leerlingen is Tim Krabbé de favoriet, gevolgd door Ronald Giphart, Carry Slee, Harry Mulisch en Karel Glastra van Loon. Het sardonische lijstje 'Welke boeken nooit meer op een literatuurlijst' wordt, na 'alle boeken' van Keuls en Giphart, aangevuld met titels van Tessa de Loo, Marga Minco en Ward Ruyslinck. De bijbehorende oordelen zijn niet mals: 'tranentrekkers' (Keuls), 'plat en pornografisch' (Giphart), 'soaps' (De Loo).

Harry Mulisch is de schrijver die een brug slaat tussen leraar en leerling. De waardering bij leraren toen (Mulisch vierde) en nu (eerste), èn van leerlingen (Mulisch vierde) loopt parallel. Alleen lezen de leerlingen *De Aanslag* – het populairste boek in de schooltijd van leraren, die nu *De ontdekking van de hemel* het beste boek vinden.

Voor de andere leden van 'de grote drie', W.F. Hermans en Gerard Reve is de belangstelling van leerlingen nihil, net als voor de andere literaire helden van hun leraren, Couperus en Vestdijk.

Van hen heeft Hermans stand gehouden bij de leraren, hij gaat van twee naar drie, terwijl *De Avonden* van Reve nog maar zes keer genoemd wordt.

De waardering van Wolkers ondergaat bij de leraren de grootste verandering. Hij was de favo-
65 riet, maar is uit zicht verdwenen. Bij leerlingen wordt zijn *Turks Fruit* nog negen keer genoemd. Bij leraren geliefde schrijvers van nu zijn Renate Dorrestein, Anna
70 Enquist en Thomas Rosenboom.

Uit: *NRC Handelsblad*, 1 november 2002

Hierboven zie je enkele resultaten van een enquête naar de literaire smaak van leraren en leerlingen, gehouden door Stichting Bulkboek. Hieronder staan de resultaten van eenzelfde soort enquête gehouden door het tijdschrift *Vrij Nederland.*

De vragen die *Vrij Nederland* stelden waren onder andere: Welke boeken (van na 1945) moet je gelezen hebben? Zijn er boeken die te hoog gewaardeerd worden, waarvan iedereen zegt dat ze goed zijn, maar die eigenlijk helemaal niet zo goed zijn? Zijn er ook boeken die je nooit op top-lijsten tegenkomt, maar die wel heel waardevol zijn? Wat is de ideale lijst van boeken die scholieren moeten lezen? En welke boeken lezen scholieren het liefst?

Uit die enquête ontstonden de volgende lijstjes:

Top-tien van *meest gelezen* boeken door scholieren volgens het VN-onderzoek

1 Karel Glastra van Loon De passievrucht
2 Harry Mulisch De aanslag
3 Boudewijn Büch De kleine blonde dood
4 Tim Krabbé Het gouden ei
5 Yvonne Keuls Het verrotte leven van Floortje Bloem
6 Tessa de Loo De tweeling
7 J. Bernlef Hersenschimmen
8 Tim Krabbé De grot
9 Jan Wolkers Turks fruit
10 Anna Enquist Het geheim, ex aequo met Giphart en nog vele anderen

De *ideale canon* voor op school volgens het VN-onderzoek

1 W.F. Hermans De donkere kamer van Damokles
2 Harry Mulisch De aanslag
3 Harry Mulisch De ontdekking van de hemel
4 Karel Glastra van Loon De passievrucht
5 Jan Wolkers Turks fruit
6 Adriaan van Dis Indische duinen
7 Renate Dorrestein Een hart van steen
8 Hella S. Haasse Heren van de thee
9 Maarten 't Hart De kroongetuige
10 D.A. Kooiman Montijn

De tien meest *overschatte* boeken volgens het VN-onderzoek

1 Connie Palmen De wetten
2 Harry Mulisch De ontdekking van de hemel
3 J.J. Voskuil Het bureau
4 Arnon Grunberg Blauwe maandagen
5 Connie Palmen De vriendschap
6 Connie Palmen I.M.
7 Gerard Reve De avonden
8 Joost Zwagerman De buitenvrouw
9 Adriaan van Dis Indische duinen
10 Tessa de Loo De tweeling

De tien meest *onderschatte* boeken volgens het VN-onderzoek

1 A. Alberts De vergaderzaal
2 J.M.A. Biesheuvel In de bovenkooi
3 Maria Dermoût Nog pas gisteren
4 Nicolaas Matsier Gesloten huis
5 H.M. van den Brink Over het water
6 Jeroen Brouwers Bezonken rood
7 Ronald Giphart (verscheidene titels)
8 Hella S. Haasse Het sleuteloog
9 F.B. Hotz Dood weermiddel en andere verhalen
10 Maria Stahlie De lijfarts
(5-10 ex aequo)

Hieronder staan korte beschrijvingen van de top-tien van scholieren. Welke beschrijving hoort bij welke titel?

Top-tien	Beschrijving nummer
Karel Glastra van Loon De passievrucht	
Harry Mulisch De aanslag	
Boudewijn Büch De kleine blonde dood	
Tim Krabbé Het gouden ei	
Yvonne Keuls Het verrotte leven van Floortje Bloem	
Tessa de Loo De tweeling	
J. Bernlef Hersenschimmen	
Tim Krabbé De grot	
Jan Wolkers Turks fruit	
Anna Enquist Het geheim	

1

Toen dit boek verscheen, in 1969, reageerde men geschokt: het liefdesverhaal van een kunstenaar en een meisje uit een burgerlijk milieu was heel openlijk beschreven, met veel seksscènes. De verfilming, met dezelfde titel, trok een paar miljoen kijkers. De titel verwijst naar een soort snoep dat de man voor de vrouw meebrengt als ze in het ziekenhuis ligt (waar ze later sterft).

2

De hoofdpersoon is 71 jaar en begint dement te worden. Dit proces wordt verteld vanuit hemzelf. Je leest mee over de schimmen in zijn hoofd. Dit boek gaat over ouderdom, aftakeling, beleving, waarneming en herinnering, beschreven vanuit de oudere zelf. De lezer beleeft bijna zelf hoe het is als je niet meer helder kunt denken.

3

Deze schrijver (1943) is erg populair bij jonge mensen, door zijn flitsende stijl met geestige, bizarre, maar ook zeer gevoelige momenten. De structuur van dit boek is verrassend knap: achteraf passen alle stukjes in elkaar. Dit sprookje van de misdaad gaat over de vakantiereis van Rex en Saskia. Saskia verdwijnt op een raadselachtige manier bij een benzinestation. Jaren later ontdekt Rex hoe dat gebeurd is. Hij ondergaat hetzelfde lot. Dat lot heeft te maken met een droom die Saskia vaak had: opgesloten te zitten in een soort ei. Dit boek is geschikt voor een zeer breed publiek. Verfilmd als 'Spoorloos' en 'The vanishing'.

4

Deze roman laat zien hoe het verleden kan doorwerken in de levens van mensen. Het is het verhaal van de tweeling Anne en Lotte die in hun kindertijd – tussen de twee wereldoorlogen – van elkaar gescheiden worden. Een van hen groeit op in Nederland, de ander in Duitsland. Na zeventig jaar ontmoeten ze elkaar, als bejaarde vrouwen, bij toeval in het kuuroord Spa. De Nederlandse Anna hoort nu voor het eerst de verhalen over het lijden van de gewone Duitsers in oorlogstijd. Dit boek is verfilmd onder dezelfde titel.

5

Tijdens de hongerwinter wordt het Haarlemse gezin Steenwijk, om acht uur 's avonds opgeschrikt door zes schoten: een politiechef is bij een aanslag door het verzet gedood. Buren verslepen het lijk tot voor het huis van de familie Steenwijk. De oudste zoon probeert het lichaam te verplaatsen, maar de Duitsers arriveren en zijn jongere broer, de twaalfjarige Anton, komt in een Duitse legerauto terecht. Vader, moeder en broer Peter worden met andere buurtbewoners vermoord; Anton blijft alleen achter. Deze gebeurtenis blijft bepalend voor het leven van Anton. Schokkende, spannende en prachtig geschreven roman van een zeldzaam hoog niveau met een glasheldere compositie. Deze roman is verfilmd als 'The assault'.

6

De ik-figuur van dit boek doet verslag van de moeilijke relatie met zijn vader, die door de oorlog geestelijk ziek geworden is. Daarnaast vertelt hij over het korte leven en het sterven van zijn eigen (kleine, blonde) zoontje. Van dit boek is een film gemaakt met dezelfde titel.

7

De hoofdpersoon, 14 jaar, heroïnehoertje, heeft een afschuwelijk leven zonder uitzicht. De bekende schrijfster (1931) vertelt haar geschiedenis. Alle gebeurtenissen zijn echt gebeurd. Ook andere meisjes, steeds in de ik-vorm, geven hun versie van een gebeurtenis. Een indrukwekkend verhaal, dat nergens sensationeel wordt.

8

Egon en Marjoke ('Marcie') zijn de geliefden die nooit bij elkaar zullen komen. Beiden zijn dol op geologie. Ze gaan op reis naar Ratanak (een fictief land). Een koffer met heroïne wordt hun noodlot. De roman begint met die noodlottige reis en laat daarna pas langzaam de draadjes bij elkaar komen. Deze psychologische roman is heel spannend. De stijl is goed en het verhaal heeft vaart, zoals alle boeken van deze schrijver.

9

De hoofdpersoon verneemt dat hij zijn hele leven al onvruchtbaar is geweest. Hij vraagt zich daarom af van wie het kind is dat zijn vriendin ter wereld heeft gebracht (de moeder is al overleden), uit welke passie dit kind is geboren. De roman gaat over de zoektocht naar de verwekker van dit kind en het wordt bekend hoe de moeder is gestorven.
De roman is vlot geschreven; de lezer blijft in spanning over wie de vader is. Enkele gedeeltes gaan over het leven in Amsterdam eind jaren zeventig, met een paar stereotype scènes met seks, drank en driehoeksverhoudingen. In november '03 kwam er een verfilming van dit boek uit.

10

De pianiste Wanda Wiericke heeft zich teruggetrokken in een bergdorp in de Pyreneeën. Haar ex-man komt haar opzoeken. De roman speelt zich af tussen zijn bericht en aankomst, afwisselend in de tegenwoordige en de verleden tijd. De roman gaat over de jeugd van Wanda, haar hartstocht voor de muziek, haar familieleven, het geheim rondom haar geboorte, haar muzikale carrière, haar relaties.
Het is een vervlechting van een muziekroman en een psychologische roman.

Schrijfopdracht

Het beslissende boek

Margot Dijkgraaf/ Martijn Meijer

Nederlandse schrijvers over het boek dat hun leven veranderde

Iedere lezer heeft een roman, een gedichtenbundel of een reeks vertellingen die zo herkenbaar of opzienbarend is dat het leven daarna nooit meer hetzelfde is. Maar hoe zit het met de schrijvers zelf? Welk boek beïnvloedde Harry Mulisch? Wie inspireerde Margriet de Moor? En dankzij welk boek overwon Adriaan van Dis zijn schroom om te schrijven zoals hij wilde? In *Het beslissende boek* praten Nederlandse schrijvers vrijuit over het boek dat hun leven veranderde.

ISBN 90 446 01601 Paperback, 232 pagina's, 12,5 x 20 cm. Verkoopprijs € 14,50

HET BESLISSENDE BOEK
NEDERLANDSE EN VLAAMSE SCHRIJVERS OVER HET BOEK DAT
HUN LEVEN VERANDERDE MARGOT DIJKGRAAF EN MARTIJN MEIJER

Bron: Advertentie Prometheusgroep, 2002

Schrijf een korte tekst over een boek dat belangrijk is geweest voor jou. Of over een boek dat veel indruk heeft gemaakt.

Prepositie-oefening

Vul de preposities in. Controleer daarna je antwoorden. Noteer de combinaties die je fout had.

Er is een enquête gehouden ___________ het leesgedrag ___________ kinderen ___________ de 2 en 12 jaar. Ook kinderen die nog niet kunnen lezen, behoorden ___________ de groep ondervraagden. Leesgedrag wordt namelijk ___________ de vakliteratuur sterk verbonden ___________ voorlezen, beter gezegd: voorgelezen worden. Elke dag vijf ___________ tien minuten voorlezen is al voldoende ___________ een positieve houding ___________ opzichte ___________ lezen en boeken. Voorlezen kan ook leiden ___________ een andere visie ___________ taal: kinderen zien dat je ook kunt spelen ___________ woorden, ze maken kennis ___________ meer manieren waar ___________ iets gezegd kan worden, de gevoelens die verbonden worden ___________ woorden.
Bovendien slaat voorlezen een brug ___________ huis en school. Zo kan voorlezen ook helpen ___________ de overgang als kinderen ___________ school gaan. Ze maken thuis al kennis ___________ de manier waar ___________ gecommuniceerd wordt ___________ school, en dat is dan weer goed ___________ hun zelfvertrouwen.

___________ een onderzoek ___________ leesgedrag ___________ middelbare scholieren ___________ 12 ___________ 18 jaar blijkt dat veel jongeren moeite hebben ___________ de 'echte' literatuur. De problematiek die daar ___________ een rol speelt, ligt vaak ___________ het belevingsniveau ___________ deze groep. Enkele docenten Nederlands vinden dat het literatuuronderwijs zich maar moet beperken ___________ de eenvoudiger romans. Anderen zeggen dat deze houding de oorzaak is ___________ oppervlakkigheid. ___________ behulp ___________ goede docenten kunnen jongeren inzicht krijgen ___________ het gedachtegoed ___________ grote denkers ___________ onze cultuur.
Wie heeft er gelijk? De waarheid ligt waarschijnlijk ___________ het midden!

Luisteropdracht: Annie M.G. Schmidt

- Wie is Annie M.G. Schmidt?

In dit programma zitten drie buitenlandse journalisten die in Nederland werken: een uit Spanje, een van de Nederlandse Antillen, een uit Duitsland. Ze spreken over Annie M.G. Schmidt.

- Lees de vragen, bekijk dan het beeldfragment en beantwoord daarna de vragen.

1 Waarom wordt er in dit programma deze keer gesproken over Annie M.G. Schmidt?
2 Annie M.G. Schmidt is wereldberoemd, zegt de presentator. Kenden de journalisten deze schrijfster al voordat ze naar Nederland kwamen?
3 De Spaanse vindt Annie M.G. Schmidt hartstikke leuk. Waarom?
4 De Duitse noemt Astrid Lindgren en Michael Ende. Waarom noemt ze die?
5 Er zit een stukje film in dit programma, een stukje uit de film *Minoes*. Waarom laten ze dat hier zien?
6 Wat voor werk van Annie M.G. Schmidt wordt hier genoemd?

Luisteropdracht

Luister naar het gezongen gedicht. Wat voor gevoelens roept het gedicht op?

De liefde moe

De liefde kent de tijd te goed,
uren sterven als tantes op zondag.

Is het voorjaar? Is het winter?
De bomen ontvangen de wind en buigen.

Mijn verlangen is moe, mijn adem tandenloos.

Ik ben het lichaamsdelen noemen moe,

zoals wij deden, tintelend van ontdekking.
Ik ben de liefde moe.

Alles gaat nu zwerven, door de wind verjaagd:
mijn handen, haar handen, mijn woorden,
seizoenen... wij nemen de pijn mee,
volgen de snelle liefde en sterven.

Ik zal zeker sterven, zwervend,
de liefde zoekend waar hij al eerder was,
tandenloos en moe.

Uitgevoerd door Bram Vermeulen

REFLECTIE

Dit is het eind van een hoofdstuk. Denk erover na of je het volgende wel of niet kunt.

- ☐ Je kunt beoordelen of stellingen kloppen, op basis van een tekst.
- ☐ Je kunt over literatuur met anderen van gedachten wisselen.
- ☐ Je kunt snel gerichte informatie zoeken in korte teksten.
- ☐ Je kunt een tekst schrijven over een gelezen boek.
- ☐ Je kunt een groot deel van een tv-programma over een specifiek onderwerp begrijpen, ook als de sprekers Nederlands met een accent spreken.
- ☐ Je kunt in een gezongen gedicht de gevoelens herkennen.

BIJLAGEN

Bijlage 1
Checklist B1 – Europees referentiekader

Deze checklist is ook te vinden op www.taalportfolio.nl/main.php?docent

B1 – LUISTEREN

1 ☐ Ik kan de hoofdzaak van een kort verhaal begrijpen dat iemand vertelt, wanneer hij daarbij duidelijk spreekt.
2 ☐ Ik kan feitelijke informatie over alledaagse zaken begrijpen, zoals school, werk en vrije tijd als de spreker de standaardtaal gebruikt (geen accent).
3 ☐ Ik kan als toehoorder een verhaal over mij bekende onderwerpen begrijpen, als er duidelijk wordt gesproken en het verhaal goed is opgebouwd.
4 ☐ Ik kan gedetailleerde aanwijzingen begrijpen.
5 ☐ Ik kan iemand begrijpen, die eenvoudige technische informatie geeft over het gebruik van alledaagse apparaten.
6 ☐ Ik kan de hoofdzaken van nieuwsuitzendingen op de radio begrijpen, als het over bekende onderwerpen gaat en er tamelijk langzaam en duidelijk gesproken wordt.
7 ☐ Ik kan begrijpen waarover het gaat, als ik naar radio-uitzendingen of opgenomen materiaal in het algemeen luister, over onderwerpen die mij interesseren en die zonder een sterk accent worden gesproken.
8 ☐ Ik kan films volgen als het verhaal door beeld en actie duidelijk wordt en de taal niet te moeilijk is.
9 ☐ Ik kan een groot deel van veel tv-programma's waaronder interviews en actualiteitenrubrieken begrijpen, over onderwerpen die mij interesseren, als die duidelijk en helder gepresenteerd worden.
10 ☐ Ik kan de betekenis van onbekende woorden raden, als het onderwerp van de tekst mij interesseert.

Als je 8 van de 10 dingen kunt, kun je B1 invullen in het talenpaspoort bij luisteren.

B1 - LEZEN

1 ☐ Ik kan feitelijke teksten over onderwerpen op mijn vakgebied of interessegebied in voldoende mate begrijpen.
2 ☐ Ik kan de beschrijving van gebeurtenissen, gevoelens en wensen in persoonlijke brieven begrijpen.
3 ☐ Ik kan de belangrijkste informatie halen uit brieven, brochures en korte officiële documenten.
4 ☐ Ik kan specifieke informatie opzoeken in langere teksten en informatie verzamelen uit verschillende teksten, bijvoorbeeld ten behoeve van een project.
5 ☐ Ik kan hoofdpunten herkennen in krantenartikelen over bekende onderwerpen.
6 ☐ Ik kan de belangrijkste argumenten en hoofdconclusies herkennen in duidelijk opgebouwde teksten.
7 ☐ Ik kan duidelijk geschreven gebruiksaanwijzingen en handleidingen begrijpen.
8 ☐ Ik kan de betekenis van onbekende woorden raden, als het onderwerp van de tekst mij interesseert.

Als je 6 van de 8 dingen kunt, kun je B1 invullen in het talenpaspoort bij lezen.

B1 – SPREKEN

1 ☐ Ik kan mijn gesprekspartner in gesprekken over alledaagse onderwerpen begrijpen als hij duidelijk spreekt, maar ik moet soms wel om herhaling van bepaalde woorden of uitdrukkingen vragen.
2 ☐ Ik kan onvoorbereid aan een gesprek over bekende onderwerpen deelnemen.
3 ☐ Ik kan zeggen dat ik verrast, blij, bedroefd of onverschillig ben en daarop reageren als anderen dat zijn.
4 ☐ Ik kan aan een gesprek of discussie deelnemen, maar heb soms moeite om precies te zeggen wat ik bedoel.
5 ☐ Ik kan over boeken, films, muziek en dergelijke met anderen van gedachten wisselen.
6 ☐ Ik kan iets op een andere manier uitdrukken als mijn gesprekspartner mij niet begrijpt.
7 ☐ Ik kan iemand vragen om te verduidelijken wat er net gezegd is.
8 ☐ Ik kan op een beleefde wijze mijn mening, overtuiging, instemming en afkeur uitdrukken.
9 ☐ Ik kan mij in minder voorspelbare situaties in winkels, banken e.d. redden en iets waarover ik ontevreden ben ruilen of mijn beklag doen.
10 ☐ Ik kan een kort verhaal, artikel, gesprek of discussie samenvatten en op detailvragen van anderen reageren.

Als je 8 van de 10 dingen kunt, kun je B1 invullen in het talenpaspoort bij spreken.

B1 - SCHRIJVEN

1 ☐ Ik kan persoonlijke briefjes schrijven waarin ik iets nieuws meedeel en mijn mening over onderwerpen als muziek en films geef.

2 ☐ Ik kan redelijk gedetailleerde persoonlijke brieven schrijven over ervaringen, gevoelens en gebeurtenissen.

3 ☐ Ik kan (bijv. telefonische) mededelingen van iemand anders opschrijven, waarin om inlichtingen wordt gevraagd of waarin problemen worden uitgelegd.

4 ☐ Ik kan memo's schrijven over zaken die belangrijk zijn voor vrienden, dienstverleners, docenten en anderen, waarin ik de belangrijkste punten op een begrijpelijke manier kan duidelijk maken.

5 ☐ Ik kan een verslag maken van ervaringen en gevoelens in een eenvoudige, maar samenhangende tekst.

6 ☐ Ik kan eenvoudige gedetailleerde beschrijvingen maken over een groot aantal bekende onderwerpen, die mijn belangstelling hebben.

7 ☐ Ik kan een verslag schrijven, bijvoorbeeld van een echte of denkbeeldige reis.

8 ☐ Ik kan korte rapporten schrijven in een standaardformaat waarin feitelijke informatie en actiepunten worden aangegeven.

9 ☐ Ik kan eenvoudige opstellen schrijven over onderwerpen die mij interesseren.

10 ☐ Ik kan met enig zelfvertrouwen verzamelde feitelijke informatie over bekende en minder bekende zaken samenvatten, er over rapporteren en er een mening over geven.

Als je 8 van de 10 dingen kunt, kun je B1 invullen in het talenpaspoort bij schrijven.

Bijlage 2
Grammatica

■ Wat je al moet weten

Presens

De stam van een werkwoord is de infinitief zonder -en:

infinitief = werken   stam = werk

Dit zijn de vormen die bij het subject horen:

subject	**persoonsvorm**	**infinitief werken**	**infinitief begrijpen**
ik	stam	werk	begrijp
jij/u	stam + t	werkt	begrijpt
hij/zij/het	stam + t	werkt	begrijpt
wij	infinitief	werken	begrijpen
jullie	infinitief	werken	begrijpen
zij	infinitief	werken	begrijpen

Eindigt de stam op een -t dan krijgt de persoonsvorm geen extra -t:

heten   stam: heet   ik heet   jij heet   hij heet

Komt je/jij na de persoonsvorm, dan krijgt de persoonsvorm geen -t:
Werk je in het ziekenhuis?

Perfectum

Het perfectum bestaat uit een vorm van hebben of zijn + het participium. Het participium van onregelmatige werkwoorden moet je uit het hoofd leren (zie lijst blz. 245). Het participium van regelmatige werkwoorden maak je door ge + stam + d of ge + stam + t.
Als de laatste letter van de stam een onderstreepte letter uit SOFT KETCHUP is, dan krijgt het participium een -t.

infinitief	stam	participium
bouwen	bouw	gebouwd
leren	leer	geleerd
werken	werk	gewerkt
fietsen	fiets	gefietst

Een participium begint met ge- behalve als het werkwoord met be-, er-, her-, ver-, ge- en ont- begint.

betalen – betaald, erkennen – erkend, herinneren – herinnerd, verwachten – verwacht, geloven – geloofd, ontmoeten – ontmoet.

Imperfectum

Het imperfectum van onregelmatige werkwoorden moet je uit het hoofd leren (zie lijst blz. 245). Het imperfectum van regelmatige werkwoorden maak je door stam + -de of -te voor het singularis en stam + -den of -ten voor het pluralis.
Als de laatste letter van de stam een onderstreepte letter uit SOFT KETCHUP is, dan krijgt het imperfectum -te of -ten.

infinitief	stam	singularis	pluralis
bouwen	bouw	bouwde	bouwden
leren	leer	leerde	leerden
werken	werk	werkte	werkten
fietsen	fiets	fietste	fietsten

Modale werkwoorden

	kunnen		willen		moeten	
Subject	**presens**	**imperf.**	**pres.**	**imperf.**	**pres.**	**imperf.**
ik	kan	kon	wil	wilde (wou)	moet	moest
jij/u	kunt/ kan	kon	wilt/ wil	wilde (wou)	moet	moest
hij/zij/ het	kan	kon	wil	wilde (wou)	moet	moest
wij	kunnen	konden	willen	wilden	moeten	moesten
jullie	kunnen	konden	willen	wilden	moeten	moesten
zij	kunnen	konden	willen	wilden	moeten	moesten

	hoeven		mogen		zullen	
Subject	**presens**	**imperf.**	**pres.**	**imperf.**	**pres.**	**imperf.**
ik	hoef	hoefde	mag	mocht	zal	zou
jij/u	hoeft	hoefde	mag	mocht	zult/ zal	zou
hij/zij/ het	hoeft	hoefde	mag	mocht	zal	zou
wij	hoeven	hoefden	mogen	mochten	zullen	zouden
jullie	hoeven	hoefden	mogen	mochten	zullen	zouden
zij	hoeven	hoefden	mogen	mochten	zullen	zouden

Personaal pronomen

Subject	Object	Possessief pronomen	Reflexief pronomen
ik	me/mij	mijn	me
jij/je	jou/je	jouw/je	je
u	u	uw	u/zich
hij	hem	zijn	zich
zij/ze	haar	haar	zich
het	het	zijn	zich
wij/we	ons	ons/onze	ons
jullie	jullie	jullie/je	je
zij/ze	ze/hen/hun	hun	zich

Adjectief

	de-woord	het-woord	pluralis
definiet	de nieuwe fiets	het nieuwe boek	de nieuwe fietsen de nieuwe boeken
indefiniet	een nieuwe fiets	een nieuw boek	nieuwe fietsen nieuwe boeken

Demonstratief pronomen

	de-woord	het-woord	pluralis
hier	deze fiets	dit boek	deze fietsen deze boeken
daar	die fiets	dat boek	die fietsen die boeken

Thema 1 – De structuur van de zin

Een hoofdzin is een zin met op de eerste positie het subject, op de tweede positie de persoonsvorm (pv) en dan andere elementen: *Ik werk in een winkel.*
Er kan ook een ander element op de eerste positie staan (inversie). Vaak is dit een tijds- of plaatselement. De persoonsvorm blijft op de tweede positie staan. Het subject komt dan na de persoonsvorm: *Vroeger werkte ik in een winkel.*
'Tijd' komt voor 'plaats': *Ik werkte vroeger in een winkel.*

Met conjuncties kun je van twee zinnen één lange zin maken. Met de conjuncties maar, en, of, dus, want combineer je twee hoofdzinnen, dus in beide zinnen is de volgorde: subject – persoonsvorm – andere elementen. *Ik werk twee avonden in een restaurant en ik studeer psychologie* of met inversie: ander element – persoonsvorm – subject: *Twee avonden werk ik in een restaurant en overdag studeer ik psychologie.*
(Bij dus zijn er verschillende woordvolgordes mogelijk: *Ik heb een tentamen dus ik studeer hard./ Ik heb een tentamen dus studeer ik hard./ Ik heb een tentamen, ik studeer dus hard.*)
Met de andere conjuncties omdat, dat, zodat, totdat, nadat, voordat, hoewel, zodra, toen, terwijl combineer je een hoofdzin en een bijzin. In een bijzin staan de werkwoorden aan het eind. *Ik werk twee avonden in een restaurant zodat ik wat meer geld heb.*
Als een zin met een bijzin begint, gebruik je inversie in de hoofdzin. De persoonsvorm komt dus direct na de bijzin: *Omdat mijn kamer zo duur is, wil ik verhuizen.*
Bij nadat komt een perfectum of plusquamperfectum: *Ik ging studeren nadat ik had gesport.*
Bij toen komt een imperfectum of plusquamperfectum: *Toen ik studeerde, woonde ik in een studentenhuis. Toen ik boodschappen had gedaan, ging ik koffie drinken.*
(Na toen kan ook inversie komen: *Toen woonde ik in een studentenhuis.*)

Thema 2 – Indirecte rede / modale werkwoorden

Een zin in de directe rede is een citaat: *Zij zegt: 'Ik heb een nieuwe baan gevonden'.* Bij een zin in de indirecte rede gebruik je dat: *Zij zegt dat ze een nieuwe baan heeft gevonden.*
Bij een gesloten vraag in de indirecte rede gebruik je of (antwoord: ja/nee).
Bij een open vraag gebruik je een vraagwoord (wie, wat, waarom, wanneer, etc).

> *Kom je morgen bij ons eten? → Ik vraag of je morgen bij ons komt eten.*
> *Wanneer begint je nieuwe baan? → Ik wil graag weten wanneer je nieuwe baan begint.*

In de indirecte rede krijg je een bijzin.

> Let op:
> Of kun je op twee manieren gebruiken:
> - bij een keuze: *Ik ga volgend jaar reizen of ik blijf hier nog werken.* Het is een hoofdzin plus een hoofdzin.
> - bij een indirecte vraag: *Ik vraag of je morgen komt.* Het is een hoofdzin plus een bijzin.

Na gaan en de modale werkwoorden mogen, kunnen, willen, moeten en zullen krijg je (meestal) aan het eind van de zin een infinitief: *Ik ga een reis maken. / Ik moet nog even iemand bellen.*
Zullen heeft verschillende functies: belofte, voorstel, waarschijnlijkheid en toekomst: *Ik zal je vanavond bellen. / Zullen we de route Amsterdam-Brugge fietsen? / De Centrale Studentenadministratie zal wel in gesprek zijn. / Volgend jaar zal het bedrijf verhuizen.*
Een voorstel is altijd een vraag in de eerste persoon singularis of eerste persoon pluralis. Bij waarschijnlijkheid gebruik je vaak 'wel'. Voor de toekomst gebruik je alleen zullen als het om formele situaties gaat, die zeer waarschijnlijk gebeuren: *De koningin zal over een maand Middelburg bezoeken.* Je gebruikt het niet voor je eigen toekomstplannen, dan gebruik je het presens of gaan + infinitief: *Ik bel hem morgen wel. / Volgend jaar ga ik een lange fietstocht maken.*

Thema 3 – om – te + infinitief

Sommige zinnen hebben meer werkwoorden. Aan het eind van een zin kan een infinitief staan. Soms komt bij die infinitief ook het woord te:

A persoonsvorm – andere elementen – infinitief: *Hij wil niet meer kwaad worden.*
B persoonsvorm – andere elementen – te + infinitief: *Hij probeert minder te roken.*

Je gebruikt A als de persoonsvorm een vorm is van: mogen, willen, kunnen, moeten, zullen, gaan, laten, blijven. *Hij gaat een jaar in Japan studeren. Kunnen jullie even luisteren?*
Je gebruikt B na andere werkwoorden. *Hij probeert ons iets te vertellen. Durven jullie in de zee te zwemmen?*

te + infinitief zien we ook na om. Je gebruikt deze constructie

1 voor een doel: *Hij gaat naar buiten om een sigaret te roken. Zij sporten veel om gezond te blijven.*
2 om extra informatie te geven over een substantief of adjectief: *Het is een goede fiets om grote afstanden mee te rijden. Het is leuk om je weer te zien.*

Thema 4 – Scheidbare werkwoorden

Scheidbare werkwoorden bestaan uit: een prefix en een werkwoord, bijvoorbeeld nakijken, aanbieden. *Hij moet de test nog nakijken. Zullen we hem een kopje koffie aanbieden?* Het accent ligt op het prefix.
In het presens en het imperfectum van een hoofdzin gaat het prefix naar het eind van de zin: *Hij kijkt de test na. Zij bood mij een kopje koffie aan.*
In de bijzin gaan het prefix en het werkwoord samen naar het eind van de zin: *Ik geloof dat hij de test nakijkt. Ik dacht dat zij mij een kopje koffie aanbood.*
In het perfectum komt ge- na het prefix: nagekeken, aangeboden. *Hij heeft de test nagekeken. Ik hoorde dat hij zijn vriendin een reis heeft aangeboden.*

In een zin met (om) – te + infinitief komt 'te' tussen het prefix en het werkwoord te staan: *Hij heeft geen zin om de test na te kijken. Zij durft hem geen kopje koffie aan te bieden.*
Werkwoorden die beginnen met be-, er-, her-, ge-, ver- en ont- zijn onscheidbaar: betalen, erkennen, herinneren, verwachten, ontmoeten.

Thema 5 – Er

Er heeft vijf verschillende functies. In hoofdstuk 5 worden er vier behandeld, maar hier staat ook de vijfde functie. De vijf functies kunnen in twee soorten verdeeld worden:

- er vervangt een (deel) van een zinsdeel, namelijk een plaats (functie 1), iets wat geteld wordt (functie 2), een deel van een prepositiegroep (functie 3);
- de grammaticale structuur eist dat er wordt gebruikt, namelijk als de zin een indefiniet subject heeft (functie 4), als het een passiefconstructie is zonder handelend subject (functie 5).

Voorbeelden per functie:

1. Plaats: *Ik woon in Enschede, maar ik ben er niet geboren.*
2. In combinatie met een telwoord: *'Heb je veel afspraken vandaag?' 'Ja, ik heb er vijf.'*
3. In combinatie met een prepositie: *'Hoe komt dat?' 'Ik heb er geen verklaring voor.'*
4. Indefiniet subject: *Er waren genoeg banen op dat moment.*
5. Passieve zin: *Er werd veel gestolen.*

De plaats van er:

- in functie 1, 2 en 3: zo ver mogelijk naar het begin van de zin, direct na de persoonsvorm, maar na persoonlijke voornaamwoorden (*Ik heb hem er niet over gesproken*);
- in functie 4 en 5: als eerste element. Bij inversie komt er direct na de persoonsvorm (*Op dat moment was er nog niets gebeurd*).

Als je meer nadruk wilt leggen op er, kun je daar of hier gebruiken bij functie 1 en 3. Daar/hier komt op de positie van er, maar kan ook (als extra versterking) op de eerste plaats in de zin gezet worden. *Ik ben daar/hier niet geboren. / Daar/Hier ben ik niet geboren. Ik heb daar/hier geen verklaring voor. / Daar/hier heb ik geen verklaring voor.*

Thema 6 – Relatief pronomen

Een relatief pronomen (die, dat, waar + prepositie, prepositie + wie) verwijst naar een substantief en geeft extra informatie over dat substantief: *Het ziekenhuis dat je daar ziet, is het Wilhelmina Ziekenhuis.* Het relatief pronomen is een deel van een bijzin, dus de werkwoorden staan aan het eind.
Die en dat gebruik je als het werkwoord in de bijzin geen prepositie bij zich heeft. Die verwijst naar een de-woord en personen en dat verwijst naar een het-woord: *De huisarts die ik op dit moment heb, komt uit Engeland. Ik heb op dit moment een huisarts, die uit Engeland komt. Vanmiddag ga ik naar Peter die in het ziekenhuis ligt. / Het ziekenhuis dat je daar ziet, is het Wilhelmina Ziekenhuis. Ik heb vorige week in een ziekenhuis gelegen, dat heel modern was.*

Als het werkwoord in de bijzin wel een prepositie bij zich heeft, gebruik je waar + prepositie voor zaken: *Het nieuwe medicijn waarover ik in de krant heb gelezen, is nog niet te koop. Er zijn ook medicijnen, waarvoor je moet betalen.* Het relatief pronomen kan ook worden gesplitst: *Het nieuwe medicijn waar ik in de krant over heb gelezen, is nog niet te koop. Er zijn ook medicijnen waar je voor moet betalen.*
Sommige preposities veranderen: 'met' wordt 'mee' en 'tot' wordt 'toe': *De pen waarmee ik schrijf, heb ik van mijn vriend gekregen. Dit is een kast waartoe ik geen toegang heb.*
Waar zonder prepositie gebruik je voor plaats: *Het ziekenhuis waar Thomas ligt, is het AMC.*
Voor personen gebruik je een prepositie + wie: *De specialist door wie ik ben onderzocht, is heel beroemd. Ik wil graag een fysiotherapeut met wie ik Engels kan praten.* In spreektaal hoor je ook waardoor en waarmee in plaats van door wie en met wie.

Thema 7 – Zou(den)

Zou(den) heeft verschillende functies. We behandelen hier: beleefde vraag, droom over een andere werkelijkheid en een wens: *Zou je iets voor me willen doen? / Als ik een miljoen zou winnen, zou ik een groot feest geven. / Ik zou graag een keer in een helicopter willen zitten.*

Bij een beleefde vraag moet je naast zou(den) ook nog willen of kunnen of mogen en een ander werkwoord gebruiken: *Zou je me willen helpen? Zouden we bij jullie kunnen overnachten? Zou ik je iets mogen vragen?*
Bij een droom over een andere werkelijkheid kun je ook een imperfectum gebruiken of een mix. Er zijn dus vier mogelijkheden: *Als ik een miljoen zou winnen, zou ik een groot feest geven. Als ik een miljoen won, gaf ik een groot feest. Als ik een miljoen zou winnen, gaf ik een groot feest. Als ik een miljoen won, zou ik een groot feest geven.*
Bij een wens gebruik je naast zou(den) ook willen en vaak 'graag' of 'wel eens': *Ik zou graag een keer in een helicopter willen vliegen. Ik zou wel eens willen weten hoe zij dat elke keer organiseert.*

Thema 8 – Passieve vorm

De vormen van actieve en passieve zinnen zijn:

	Actieve vorm	Passieve vorm
Presens	De expert restaureert het schilderij.	Het schilderij wordt (door de expert) gerestaureerd.
Imperfectum	De expert restaureerde het schilderij.	Het schilderij werd gerestaureerd.
Perfectum	De expert heeft het schilderij gerestaureerd.	Het schilderij is gerestaureerd.
Plusquamperfectum	De expert had het schilderij gerestaureerd.	Het schilderij was gerestaureerd.

In de actieve vorm ligt de nadruk op het subject, degene die de handeling doet. In de passieve vorm ligt de nadruk op de handeling. Door wie de handeling wordt gedaan, is vaak niet bekend of het is niet belangrijk.

Passieve zinnen zonder subject krijgen er: *Er is vooral gekeken naar kleurgebruik. / Er worden de laatste tijd veel schilderijen gestolen.*

Bijlage 3
Onregelmatige werkwoorden (sterke werkwoorden)

Infinitief	Imperfectum		Perfectum
bakken	bakte, bakten		gebakken
bederven	bedierf, bedierven		bedorven
bedriegen	bedroog, bedrogen		bedrogen
beginnen	begon, begonnen	is	begonnen
bevelen	beval, bevalen		bevolen
bidden	bad, baden		gebeden
bieden	bood, boden		geboden
bijten	beet, beten		gebeten
binden	bond, bonden		gebonden
blazen	blies, bliezen		geblazen
blijken	bleek, bleken	is	gebleken
blijven	bleef, bleven	is	gebleven
blinken	blonk, blonken		geblonken
braden	braadde, braadden		gebraden
breken	brak, braken		gebroken
brengen	bracht, brachten		gebracht
buigen	boog, bogen		gebogen
denken	dacht, dachten		gedacht
doen	deed, deden		gedaan
dragen	droeg, droegen		gedragen
drijven	dreef, dreven	(is)	gedreven
dringen	drong, drongen		gedrongen
drinken	dronk, dronken		gedronken
duiken	dook, doken	(is)	gedoken
dwingen	dwong, dwongen		gedwongen
eten	at, aten		gegeten

fluiten	floot, floten		gefloten
gaan	ging, gingen	is	gegaan
gelden	gold, golden		gegolden
genezen	genas, genazen		genezen
genieten	genoot, genoten		genoten
geven	gaf, gaven		gegeven
gieten	goot, goten		gegoten
glijden	gleed, gleden	(is)	gegleden
glimmen	glom, glommen		geglommen
graven	groef, groeven		gegraven
grijpen	greep, grepen		gegrepen
hangen	hing, hingen		gehangen
hebben	had, hadden		gehad
helpen	hielp, hielpen		geholpen
heten	heette, heetten		geheten
houden	hield, hielden		gehouden
jagen	jaagde, jaagden		gejaagd
	joeg, joegen		gejaagd
kiezen	koos, kozen		gekozen
kijken	keek, keken		gekeken
klimmen	klom, klommen	(is)	geklommen
klinken	klonk, klonken		geklonken
knijpen	kneep, knepen		geknepen
komen	kwam, kwamen	is	gekomen
kopen	kocht, kochten		gekocht
krijgen	kreeg, kregen		gekregen
krimpen	kromp, krompen	is	gekrompen
kruipen	kroop, kropen	(is)	gekropen
kunnen	kon, konden		gekund
lachen	lachte, lachten		gelachen
laten	liet, lieten		gelaten
lezen	las, lazen		gelezen
liegen	loog, logen		gelogen
liggen	lag, lagen		gelegen
lijden	leed, leden		geleden

lijken	leek, leken		geleken
lopen	liep, liepen	(is)	gelopen
moeten	moest, moesten		gemoeten
mogen	mocht, mochten		gemogen
nemen	nam, namen		genomen
optreden	trad op, traden op		opgetreden
rijden	reed, reden	(is)	gereden
roepen	riep, riepen		geroepen
ruiken	rook, roken		geroken
scheiden	scheidde, scheidden		gescheiden
schelden	schold, scholden		gescholden
schenken	schonk, schonken		geschonken
scheren	schoor, schoren		geschoren
schieten	schoot, schoten		geschoten
schijnen	scheen, schenen		geschenen
schrijven	schreef, schreven		geschreven
schrikken	schrok, schrokken	is	geschrokken
schuiven	schoof, schoven		geschoven
slaan	sloeg, sloegen		geslagen
slapen	sliep, sliepen		geslapen
sluiten	sloot, sloten		gesloten
smelten	smolt, smolten		gesmolten
smijten	smeet, smeten		gesmeten
snijden	sneed, sneden		gesneden
spijten	speet (het), –		gespeten
spreken	sprak, spraken		gesproken
springen	sprong, sprongen	(is)	gesprongen
spuiten	spoot, spoten		gespoten
staan	stond, stonden		gestaan
steken	stak, staken		gestoken
stelen	stal, stalen		gestolen
sterven	stierf, stierven	is	gestorven
stijgen	steeg, stegen	is	gestegen
stinken	stonk, stonken		gestonken
strijden	streed, streden		gestreden

treffen	trof, troffen		getroffen
trekken	trok, trokken		getrokken
vallen	viel, vielen	is	gevallen
vangen	ving, vingen		gevangen
varen	voer, voeren	(is)	gevaren
vechten	vocht, vochten		gevochten
verbergen	verborg, verborgen		verborgen
verdwijnen	verdween, verdwenen	is	verdwenen
vergelijken	vergeleek, vergeleken		vergeleken
vergeten	vergat, vergaten	(is)	vergeten
verliezen	verloor, verloren		verloren
vermijden	vermeed, vermeden		vermeden
verzinnen	verzon, verzonnen		verzonnen
vinden	vond, vonden		gevonden
vliegen	vloog, vlogen	(is)	gevlogen
vouwen	vouwde, vouwden		gevouwen
vragen	vroeg, vroegen		gevraagd
vriezen	vroor (het,) –		gevroren
waaien	waaide, waaiden		gewaaid
	woei (het), –		gewaaid
wassen	waste, waste		gewassen
wegen	woog, wogen		gewogen
werpen	wierp, wierpen		geworpen
weten	wist, wisten		geweten
wijzen	wees, wezen		gewezen
willen	wilde, wilden		gewild
	wou, wouden (spreektaal)		gewild
winnen	won, wonnen		gewonnen
worden	werd, werden	is	geworden
wrijven	wreef, wreven		gewreven
zeggen	zei, zeiden		gezegd
zenden	zond, zonden		gezonden
zien	zag, zagen		gezien
zijn	was, waren	is	geweest
zingen	zong, zongen		gezongen
zinken	zonk, zonken	is	gezonken
zitten	zat, zaten		gezeten

zoeken	zocht, zochten		gezocht
zuigen	zoog, zogen		gezogen
zullen	zou, zouden		
zwemmen	zwom, zwommen	(is)	gezwommen
zweren	zwoer, zwoeren		gezworen
zwerven	zwierf, zwierven		gezworven
zwijgen	zweeg, zwegen		gezwegen

Bijlage 4
Correctiemodel voor schrijfopdrachten

Als je iets geschreven hebt, moet je dat inleveren bij de docent. De docent corrigeert dat op de volgende manier.
De eerste keer zet de docent codes in je tekst. Aan die codes kun je zien wat voor fout je hebt gemaakt.
Daarna moet je zelf proberen de fouten te verbeteren. De verbeterde tekst lever je opnieuw in bij je docent.
De docent corrigeert de tekst nog een keer. Als er nog fouten in je tekst zitten, verbetert de docent ze.

ART	Gebruik een (ander) Artikel. Moet hier een definiet, indefiniet of geen artikel staan?
ND	Dit woord/deze zin is niet duidelijk. Schrijf dit anders op.
PR	Dit pronomen is fout. Is het subject of object of moet het een possessief pronomen zijn?
PREP	Gebruik hier een (andere) prepostitie.
SP	De spelling is niet juist.
T	De tijd van het werkwoord is niet goed. Moet het presens, imperfectum of perfectum zijn?
V	Hier is een woord vergeten.
VOC	Dit vocabulaire past niet in de situatie. Gebruik een ander woord.
WVO	Kijk naar de woordvolgorde. Waar moet het subject en de werkwoorden staan?
WW	De vorm van dit werkwoord is fout. Kijk naar het subject of de andere werkwoorden.

Bijlage 5
Antwoorden

Thema 1 – Werk en vrije tijd

Oefening 2

1 Ik zag hem gisteren op het station./ Gisteren zag ik hem op het station – 2 Wij zijn vorig jaar naar Japan geweest. / Vorig jaar zijn wij naar Japan geweest. – 3 Hij moet dinsdag om 15.00 uur bij de tandarts zijn. / Dinsdag moet hij om 15.00 uur bij de tandarts zijn. – 4 We zitten elke maandag van 11.00 tot 13.00 uur in zaal 53. / Elke maandag zitten we van 11.00 tot 13.00 uur in zaal 53. – 5 Ik heb gisteren de hele dag in de sporthal gevoetbald. / Gisteren heb ik de hele dag in de sporthal gevoetbald. – 6 Ze kunnen zaterdag om ongeveer 17.00 uur bij ons thuis zijn. / Zaterdag kunnen ze om ongeveer 17.00 uur bij ons thuis zijn.

Voor vrije tijd is geen tijd

1 mensen hebben het te druk – 2 vrijwilligerswerk, sociale contacten, bewegen, sporten - 3 culturele bezoeken – 4 Hij sport niet regelmatig, omdat het te koud of te nat is of omdat hij het te druk heeft.

Vocabulaire – Geen tijd voor vrije tijd

Oefening 1: af en toe = soms, allerlei = verschillend, vooral = in het bijzonder, over het algemeen = meestal

Oefening 2: 1 besteden – 2 lijken – 3 afgenomen – 4 doorgebracht – 5 verdwenen

Conjuncties

Oefening 5: 1 want – 2 zodat – 3 als – 4 maar – 5 voordat – 6 dus – 7 zodra – 8 als – 9 omdat – 10 totdat – 11 toen – 12 hoewel

Oefening 6: 1 j – 2 c – 3 a – 4 d – 5 h – 6 f – 7 g – 8 i – 9 b – 10 e

Jongeren dromen van andere banen

1 waar – 2 waar – 3 niet waar – 4 niet waar

Vocabulaire – Jongeren dromen van andere banen

Oefening 1: 1 echter – 2 mening – 3 ruim – 4 laat – 5 beroep

Oefening 2: 1 hangt, opleiding, af – 2 werkelijkheid, steeds – 3 blijkt, onderzoek – 4 hoogte, factor – 5 opleiding, baan

Prepositie-oefening

- Deze cursus is bedoeld voor jongeren tussen 12 en 16 jaar, die al enige jaren muziekles hebben gehad. De cursus begint in de tweede week van september, en is op maandagavond. We beginnen om acht uur, en we gaan door tot half tien. Als je belangstelling hebt voor deze cursus, kun je contact opnemen met Marja Vlieland, tel. 123456.

- Als kind droomde ik van een carrière als filmster. Dat blijkt ook wel uit de vele plakboeken die ik had. Ik verzamelde heel veel foto's van filmsterren, en plakte die in deze boeken. Hier, op deze foto zie je mij, als filmster verkleed. Mooi, hè?

- Er zijn veel vooroordelen over Nederlandse mannen, bijvoorbeeld dat ze niet romantisch zijn.
  Wat is jouw mening over de Nederlandse man? Ik denk dat je over/in het algemeen kunt zeggen dat ze wat minder romantisch zijn dan mannen die uit andere landen komen.

- Er is niet veel belangstelling meer voor een baan als leraar of onderwijzer. Maar weinig jongeren kiezen voor dit werk. Werk in het onderwijs is alleen aantrekkelijk als je denkt aan de lange vakanties, vinden veel jongeren. Ook de zorg heeft grote problemen: jongeren willen niet in de zorg werken. Wie daar aan het werk wil, kan direct een baan krijgen.

- Hij heeft geen plezier in zijn werk. Dat blijkt uit zijn verhaal. Hij besteedt veel tijd aan zijn hobby's. Dat is jammer, want zo heeft hij geen tijd meer voor zijn vrienden.
  Dat hangt van je hobby af: als dat iets sociaals is, is het toch geen probleem! Je kunt bijvoorbeeld samen naar de film gaan, en na de film kun je nog iets gaan drinken. Je kunt dan nog wat praten over de film en allerlei andere dingen.

Thema 2 – Reizen

Prijs bij de Staatsloterij: een ruimtereis

1 b – 2 b – 3 b – 4 b

Vocabulaire – Prijs bij de Staatsloterij

Oefening 1: 1 deelnemers – 2 gaan door – 3 ontwikkeld – 4 behalve – 5 prijs – 6 gewonnen – 7 net – 8 spel(letje) – 9 maatschappij

Indirecte rede

Oefening 1: De man vraagt zich af of dit de goede weg is. – Sherlock Holmes denkt dat hij iets gevonden heeft. – De vrouw schrijft dat dit de juiste medicijnen zijn. – De man is blij dat het bijna weekend is. – De mensen overleggen wat ze zullen doen. – Zij vragen waar ze de heer Wagenmaker kunnen vinden. – De skiester twijfelt of het wel goed gaat. – Hij hoopt dat hij later een goede baan krijgt. – De man vraagt of hij de afspraak kan verzetten. – Hij weet niet waar hij naartoe moet.

Cycletours

1 Parels van het Noorden – 2 Gouden Cirkel – 3 Alle drie – 4 Amsterdam-Brugge – 5 Gouden Cirkel

Vocabulaire – Cycletours

Oefening 1: 1 Dat is typisch Nederlands! – 2 Het Rijksmuseum is toch bij iedereen bekend! – 3 Er zijn voldoende cafés. – 4 Vrijwel alle buitenlandse toeristen gaan minimaal één dag naar Amsterdam. – 5 Die heb ik niet opgemerkt. – 6 Ik heb last van dat lawaai. – 7 Rotterdam en Antwerpen hebben veel overeenkomsten. – 8 Ik heb de indruk dat er iets is. – 9 Voor kinderen is deze fiets niet geschikt.
Oefening 2: 1 verzorgen – 2 ervaren – 3 gebied – 4 ontdekt – 5 bereiken

Zullen

Oefening 4: 1 Zullen we naar België gaan? – 2 Zullen we naar zee gaan of (zullen we) naar een stad (gaan)? – 3 Zullen we daar kamperen? – 4 Zullen we een hotel reserveren? – 5 Zal ik informatie aanvragen? – 6 Zal ik op internet kijken?
Oefening 5: 1 We zullen een mobieltje meenemen. – 2 Ik zal een adres achterlaten. – 3 We zullen niet te hard rijden. – 4 We zullen voorzichtig zijn. – 5 We zullen goed op onze spullen passen. – 6 Ik zal jullie twee keer per week bellen.
Oefening 6: 1 zal wel even weg zijn. – 2 zal zo wel een benzinestation komen. – 3 zal wel op onze hotelkamer liggen. – 4 zal wel gaan regenen. – 5 zal wel gesloten zijn. – 6 zal wel moeilijk worden.

Prepositie-oefening

- Paolo en Marta komen uit Italië. Ze wonen sinds een paar maanden in Delft. Ze wonen in een flat aan de rand van het centrum. Ze wilden natuurlijk graag kennismaken met hun nieuwe woonplaats. Daarom hebben ze een rondvaart gemaakt door de grachten. Ze hebben niet alleen de stad zelf bekeken, maar ook het gebied rond de stad. Dat deden ze op de fiets, of met het openbaar vervoer. Ze zijn een keer naar de Noordzee gefietst, en een keer naar Dordrecht. Dat was wel ver! Na die fietstocht had Paolo last van zijn billen. Zadelpijn, noem je dat.

- Ik vind het een gek idee dat een deel van Nederland onder zeeniveau ligt. De dijken zorgen voor de veiligheid, maar toch ben ik bang voor een overstroming. Mijn vrienden zeggen dat ik niet bang hoef te zijn: Nederlanders zijn ooit begonnen met grote waterprojecten, en ze zijn daarmee bekend over de hele wereld.

- Ben je wel eens op de Waddeneilanden geweest? Het zijn mooie eilanden, ten noorden van de Friese en de Groningse kust. Je kunt naar die eilanden per boot, vijf of zes keer per dag. Je kunt daar prachtig wandelen, in de duinen, of op het strand. Je kunt ook een fiets huren, en in eigen tempo lekker rustig het eiland bekijken. Je kunt prima op/met vakantie gaan naar een van de eilanden.

Thema 3 – Gevoelens

Alledaagse ergernissen

1 c – 2 niet waar – 3 onbeleefdheid (de man die tegen zijn collega zegt dat haar haar veel leuker zou zitten als ze het zou laten knippen), egoïsme (de vrouw die ongevraagd het televisiekanaal verandert terwijl haar man naar een film zit te kijken), gebrek aan manieren (mensen die je niet bedanken als je iets voor hen hebt gedaan), controle over het lichaam (mensen die een snotje uit hun neus halen en het opeten) – 4 waar – 5 niet waar

Vocabulaire – Alledaagse ergernissen

Oefening 1: 1 wel – 2 toegenomen – 3 gebrek – 4 slechts
Oefening 2: 1 terecht – 2 inderdaad – 3 degene – 4 manier – 5 gewezen – 6 vraag ... – af – 7 gedrag – 8 maakt ... – uit

Te + infinitief

Oefening 1: Ik zat op de boot de krant te lezen. Daar mag je niet roken. Maar mensen willen dat niet weten. Twee mensen stonden een sigaret te roken. Ze blie-

zen de rook in mijn gezicht. Wat asociaal! Ik kan daar niet tegen. Ik probeerde rustig te blijven, maar dat lukte niet goed.
Zou ik er iets van zeggen? 'Nee, laat ik mijn mond maar houden', dacht ik. Ik besloot een andere plaats te zoeken. Op die plaats ging een man naast mij zitten. Hij pakte zijn mobieltje en hij begon te bellen. Hij bleef de hele tijd praten. Hij zat allerlei privé-zaken te vertellen. Kunnen mensen dat niet thuis doen? Dat doe je toch niet in het openbaar? Gelukkig was de boot aan de overkant gekomen. Hoe is het verder met jou? Gaat alles goed? Ik hoop gauw iets van jou te horen.

Durf 'nee' te zeggen

1 c – 2 b – 3 a – 4 a

Vocabulaire – Durf nee te zeggen

Oefening 1: 1 Je hebt behoefte aan vakantie. 2 Dat is een gevolg van een auto-ongeluk. 3 Ik heb moeite met uit bed komen. / met opstaan / Ik heb er moeite mee om uit bed te komen. 4 Dat is de reden. 5 Je moet rekening houden met files. 6 Je leeftijd kan ook een rol spelen. 7 Uiteindelijk hebben we de naam Rex gekozen. 8 Hij denkt alleen aan zijn eigen belangen. 9 Ze heeft nauwelijks tijd voor zichzelf.

Oefening 2: bevalt – voorkomt – klagen – durf – verwacht – omgaan – oplossen

Prepositie-oefening

- Op een dag reed ik met 140 kilometer per uur over/op de snelweg. Over/in het algemeen rijd ik niet zo hard, maar die dag was het alsof ik geen controle had over mijn snelheid. Ik moest betalen voor dit gedrag: een flinke boete. Hoeveel? Dat zeg ik liever niet!

- Er was een onderzoek naar het gedrag van jongeren tussen 15 en 20 jaar. Enkele interessante gegevens uit dit onderzoek zijn:
  - Op de vraag 'Doe je wel eens iets tegen je zin?' antwoordde 63% van de groep met ja.
  - Ruim de helft van de groep kijkt regelmatig naar horrorfilms.
  - 49% doet iets vrijwilligs naast/buiten de school of het werk: boodschappen doen voor ouderen, passen op de kinderen of dieren van kennissen. Ongeveer een kwart van de jongeren doet in de vrije tijd iets in de vorm van georganiseerd vrijwilligerswerk.
  - Gemiddeld zitten deze jongeren per dag maar liefst 47 minuten aan de telefoon.

- In mijn vorige baan (bij de politie) had ik vaak te maken met conflicten en probleemsituaties. Ik merkte dat mensen in ernstige situaties kunnen veranderen in iemand anders: rustige mensen kunnen enorm agressief worden, passieve mensen kunnen goed besluiten nemen enzovoorts. Tijdens de opleiding leer je wel iets over zulke dingen, maar in de praktijk is het anders. Zo kwam ik op het idee om een praktijkboek met een video te maken. Het is bedoeld voor politiemensen maar ook voor anderen in dergelijke beroepen. Ik ben nu bezig met het laatste deel, en ik hoop dat het boek in de zomer in de winkels ligt.

Thema 4 – Onderwijs

Leraar maakt niet meer uren dan een ander

1 niet waar – 2 c – 3 Dat te veel leerlingen in een klein gebouw zitten – 4 waar – 5 veel leerlingen, te kleine gebouwen, gebrek aan respect van het ministerie, ze verdienen slecht, het is een zwaar beroep, ze moeten te hard werken

Vocabulaire – Leraar maakt niet meer uren

1 a – 2 b – 3 a – 4 a – 5 a – 6 b – 7 b – 8 a

Studiepunten voor Wallenbezoek

1 Het doel voor buitenlandse studenten is dat ze niet in een gat vallen. Het doel voor Nederlandse studenten is dat ze gestimuleerd worden om internationaal actief te zijn. – 2 Dat betekent: in een hopeloze situatie terechtkomen. – 3 Officieel is het niet correct. Hollandse studenten zijn eigenlijk studenten uit Noord- of Zuid-Holland. In het buitenland zegt men vaak Holland in plaats van Nederland. – 4 Met de Wallen van Amsterdam wordt de buurt bedoeld waar prostituees achter de ramen zitten, de zogenaamde rosse buurt. – 5 Praten over de onderwerpen, uitstapjes maken, een verslag maken en een onderzoek doen naar het land van de buitenlandse student. – 6 Ze wonen met z'n allen op de campus, het terrein van de universiteit.

Vocabulaire – Studiepunten voor Wallenbezoek

Oefening 1: 1 daardoor – 2 besteden – 3 hoeven – 4 een aantal – 5 behandelen – 6 verschillende
Oefening 2: 1 het vak – 2 onderwerp – 3 op stap ... – gaan – 4 draait – 5 de moeite waard zijn – 6 geen enkel

Scheidbare werkwoorden

Oefening 1: 1 Heb jij zijn e-mailadres nog opgezocht? – 2 Kun je me uitleggen hoe dit programma werkt? – 3 Jullie hebben nog een week om je in te schrijven voor de volgende cursus. – 4 Ik kijk al een paar maanden naar een andere kamer uit. – 5 Schiet nu toch op, anders komen we te laat. – 6 Ik heb zaterdag lekker uitgeslapen, ik ben pas om 12.00 uur opgestaan. – 7 Toen ik dat account aanvroeg, moest ik eerst een lange instructie doorlezen. – 8 Kom je even binnen of ga je direct door? – 9 Zij bereidde haar colleges vorig jaar altijd heel goed voor. – 10 Ik schenk nog even koffie in en dan bel ik mijn moeder op.

Prepositie-oefening

- Valtyr komt uit IJsland. Hij is daar leraar Engels. Hij wil in de toekomst ook in Nederland gaan werken. Daarom heeft hij stage gelopen op een school voor havo en vwo. Hij heeft een verslag geschreven over deze stage. Hieronder volgen enkele punten uit zijn verslag:

  - De leerlingen zitten ongeveer zes uur per dag op school. Daarnaast besteden ze ongeveer twee uur aan hun huiswerk.
  - De eerste twee jaar zitten alle leerlingen bij elkaar. Na twee jaar hebben de docenten een goed beeld van het niveau van de leerlingen. Dan krijgen de leerlingen een advies voor het vervolg: havo, vwo of een andere vorm van onderwijs. Het vwo is bedoeld voor jongeren die later aan de universiteit kunnen gaan studeren.
  - Het schooljaar gaat in augustus of september van start. Er is een korte vakantie in oktober, een wat langere vakantie in de periode rond de feestdagen (Kerstmis en oud en nieuw), en in het voorjaar hebben ze nog een paar vakanties van een week. In de zomer hoeven ze acht weken niet naar school. Dat is niet veel, in vergelijking met mijn land.
  - Veel leraren hebben kritiek op het onderwijssysteem, maar ze hebben wel veel plezier in hun werk. Het leukste vinden ze het contact met jongeren (van twaalf tot achttien jaar).
  - Er wordt ook veel geklaagd over het salaris. De docenten vinden het laag, in verhouding tot het werk dat ze moeten doen. Ze vinden dat het land meer moet investeren in onderwijs, en dat de leraren beloond moeten worden voor hun werk met meer salaris. Dan wordt de status van hun beroep ook hoger, en dan komt hun salaris op Europees niveau.

Thema 5 – Buitenlanders in Nederland

De broodlunch als struikelblok

1 waar – 2 waar – 3 niet waar – 4 niet waar – 5 waar – 6 waar

Vocabulaire – Broodlunch als struikelblok

1 raar – 2 zelden – 3 ligt – 4 aan – 5 behoorlijk – 6 gewoonte – 7 op – 8 vallen – 9 zogenoemde – 10 verantwoordelijk – 11 aan – 12 gewend – 13 dreigde – 14 aan – 15 de – 16 slag – 17 verklaring

Er

Oefening 1: 1 Ja, ik ben er geboren. – 2 Sorry, ze is er vandaag niet. – 3 Ja, ik heb er vijf. – 4 Ik zie er drie. – 5 Ja, ze hadden er veel commentaar op. – 6 Ja, ze zijn er gesteld op / Ze zijn erop gesteld. – 7 Er is een vergadercultuur. – 8 Er zijn geen bergen. – 9 Ja, er heeft iemand gebeld. – 10 Ja, er is veel gebeurd.
Oefening 2: 1 Ik ga er vanavond (niet) naar kijken. – 2 Hij denkt er wel/nooit aan. – 3 Ik begin er ... mee. – 4 We praten er (niet) gemakkelijk over. – 5 Ik heb er ... op gewacht. – 6 Ik kan er niet/wel om lachen. – 7 Ik heb er (geen) last van. – 8 Zij gaat er (niet) naartoe. – 9 Ik ben er (niet) bekend mee. – 10 Ze houden er (geen) rekening mee. – 11 Ik heb er (geen) plezier in. – 12 Hij zorgt er (niet) voor. – 13 We hebben er al / er nog niet op geantwoord. – 14 We zijn er (niet) bang voor. – 15 Ik heb er ook nog / er geen tijd voor. – 16 Ik doe er (niet) aan mee. – 17 Ik ga er (niet) mee door. – 18 Daar zal ik op letten. – 19 Het hangt er (niet) van af. – 20 Ik zal erover nadenken.

Het woord 'gezellig' is fantastisch – Michael O'Shea

1 c – 2 c – 3 a – 4 b

Scheiding werk en privé – Faizal Nabikaks

1 a – 2 b – 3 b

Vocabulaire – teksten Michael en Faizal

1 maar eigenlijk heb ik er niet veel zin in. – 2 Het schijnt dat het examengeld wordt verhoogd. – 3 Deze studie is een verkeerde keuze geweest voor mij. – 4 Zijn er bepaalde dagen dat je niet kunt? – 5 Heb je in het weekend nog iets leuks meegemaakt? – 6 Hoe vaak verschijnt dat blad? – 7 hetgeen ik niet prettig vind. – 8 maar dat kan me niet schelen – 9 Ik ga ervan uit dat er 30 mensen komen – 10 Ik ben ervan overtuigd dat ik de cd weer aan je heb teruggegeven. – 11 Dat is ontstaan in de tijd dat mijn baas ziek was.

Prepositie-oefening

Hallo collega's!

Zijn jullie lekker op/met vakantie geweest? En nu weer aan de slag! Moeten jullie ook weer wennen aan het werk? Hebben jullie ook zo'n moeite met de maandag-ochtend?
Wij, Ronald en Joost, zijn ervan overtuigd dat dit een goed moment is voor een feest! Iedereen houdt toch van feesten? Wie heeft daar nou geen zin in?
We hebben al wel een paar plannen op papier, maar we zoeken nog naar andere ideeën. We willen op dit feest gezelligheid combineren met serieuzere zaken. We merken bijvoorbeeld dat veel mensen niet veel weten over het bedrijf. Vaak zijn jullie verbaasd over beslissingen, of hebben jullie er commentaar op, maar zeggen jullie niets tegen degene die de beslissing heeft genomen. Als we om ons heen kijken, merken we dat er behoefte is aan gesprekken met elkaar over allerlei dingen die te maken hebben met het werk. We zijn op zoek naar een manier om deze gesprekken te stimuleren, zonder dat het leidt tot conflicten. Open gesprekken, op een prettige manier, daar gaat het om! Open gesprekken, met waardering en begrip voor elkaar. We denken dat dit mogelijk is in de vorm van een feest.
Wil je helpen organiseren? Stuur dan een e-mail naar/aan een van ons. De eerste bijeenkomst is op 18 april, om 20.30 uur, bij Ronald thuis (Hereweg 98B).
We hopen iets van jullie te horen!

Ronald Stelman rstelman@abc.nl
Joost van Tilburg jtilburg@abc.nl

Thema 6 – Gezondheid

Te veel alcohol? Eigen schuld dikke bult

1 Jongeren hebben nog niet genoeg verantwoordelijkheidsgevoel, E.K. de Boer – 2 Het is te gek voor woorden dat de kroegbazen altijd de schuld krijgen. Het meisje had een verklaring om haar nek moeten hangen zodat de barkeeper kon zien dat het niet goed was haar likeur te schenken, H. Scheper – 3 Ze heeft de drank zelf opgedronken en ze is daar zelf verantwoordelijk voor, Jan de Jager – 4 Mijn mening is dat de vriend medeplichtig is omdat je je vriendin niet zoveel laat drinken dat ze in een coma terechtkomt, Martin Smit – 5 Maar ook de ouders zijn verantwoordelijk omdat je kinderen moet wijzen op de gevaren van te veel drinken en roken, J. Hilbrands.

Vocabulaire – Te veel alcohol? Eigen schuld dikke bult

1 a – 2 b – 3 b – 4 a – 5 b – 6 b – 7 a

Relatief pronomen

Oefening 1: 1 b – 2 d – 3 a – 4 c – 5 i – 6 h – 7 k – 8 l – 9 m – 10 f, k – 11 n – 12 g – 13 j -14 e

Oefening 2: 1 Het recept dat de dokter je kan geven, moet je meenemen naar de apotheek. – 2 Het been dat ik vorig jaar gebroken heb, kan ik niet goed buigen. – 3 De huiduitslag die niet besmettelijk is, jeukt heel erg. – 4 Die ziekte waarover ik iets in de krant heb gelezen, ontstaat door stress. – 5 De apotheek waar je je medicijnen kunt halen, is tot 17.30 uur open. – 6 De specialist bij wie ik op controle ga, heet Van den Akker. / De specialist die in het centrum woont, heet Van den Akker. – 7 Als er in mijn eten kleurstoffen zitten waarvoor ik allergisch ben, word ik echt ziek.

Wat betekent euthanasie voor een huisarts?

1 b – 2 c – 3 b – 4 a

Vocabulaire – Wat betekent euthanasie voor een huisarts?

1 vergeet – herinneren 2 lichamelijke – geestelijk 3 op een rij – door elkaar 4 zorgvuldig – slordig 5 geboren – overlijdt 6 achter de rug – voor je / voor de boeg 7 streng – soepel 8 plicht – recht

Prepositie-oefening

- Mijn vriendin is gek op honden en ze wil graag een hond kopen. Ik heb gezegd dat ze daar goed over na moet denken. Ik heb gezegd: Jij bent verantwoordelijk voor de hond. Jij moet het dier onder controle houden. Je moet rekening houden met je buren. Misschien blaft de hond de hele dag als jij op je werk bent. En dan hebben de buren last van je hond. En wat doe je met de hond als je op/met vakantie gaat?

- Heb je moeite met wakker worden 's morgens? Of kom je 's avonds juist moeilijk in slaap? Zit je niet lekker in je vel? Sta je onder spanning? Last van stress? Misschien kun je iets doen aan deze klachten! Kom eens naar ons spreekuur, elke woensdag van half drie tot half vier.

- Ik heb in de krant gelezen dat in januari 60% van de mensen op dieet is. Waarom in januari? In december hebben we de feestdagen, met veel lekker eten. Na die dagen ga je op de weegschaal staan, en je schrikt van de extra kilo's.
  In de krant stond ook dat de meeste mensen al na drie weken weer stoppen met hun dieet. Dan zijn ze al genoeg afgevallen.

Thema 7 – Relaties

Nederlandse man heel knap maar niet zo sexy

1. Wel: verlegen, goed gebouwd, knap, attent, respectvol, beschaafd, geëmancipeerd, spelen met zijn kinderen. Niet: sexy, flirten, spelen, versieren, geraffineerd, bewust van zijn aantrekkingskracht, geld uitgeven aan kleding en parfum.
2. 18% Werkt in deeltijd als er kinderen zijn; hij doet veel in het huishouden.
3. Het poldermodel is een model in de politiek en economie waarbij er een compromis wordt gesloten tussen alle partijen. Het wordt hier gebruikt omdat er een compromis wordt gesloten tussen de man en vrouw: Wat wil jij? Wat vind jij lekker?

Vocabulaire – Nederlandse man heel knap maar niet zo sexy

1 oordeel – 2 komt ... uit – 3 bereid zijn te – 4 zeker – 5 volgt – 6 uitgegeven – 7 de meerderheid – 8 in dat opzicht – 9 huishouden – 10 onderhandeld

In modern gezin is alles onderhandelbaar

1 niet waar – 2 waar – 3 niet waar

Vocabulaire – In modern gezin is alles onderhandelbaar

1 a – 2 a – 3 b – 4 a – 5 a – 6 a – 7 b – 8 b – 9 b – 10 a – 11 a – 12 a – 13 b

Prepositie-oefening

Contact gezocht en aangeboden

- Ik, sportieve vrouw van 28 jaar, ben op zoek naar een leuke vriend. Ik ben afgestudeerd, heb werk en ben best tevreden met mezelf. Maar ik ben eenzaam! In plaats van gezellig samen op de bank zitten, zit ik 's avonds uren in mijn eentje voor de tv. Iemand vinden in de kroeg, dat wil ik niet meer, in deze fase van/in mijn leven. Belangstelling? Schrijf: Angela. Brief nr. 5692.

- Wil je ook gewoon een goed gesprek met een ander? Heb je respect voor vrouwen? En voor mannen? Ben je je bewust van je fouten? Ben je bereid te discussiëren met anderen over de belangrijke dingen van het leven? Kun je niet zo gemakkelijk in contact komen met anderen? Kom naar onze grote singles-avond, zaterdag 13 september, in Café Paradis.

- Ik, vader van zeven kinderen tussen 5 en 15 jaar, zoek contact met een vrolijke, niet oppervlakkige vrouw (25 tot 40 jaar). Mijn vrouw is gestorven en de kinderen lijden daar erg onder. Ik zoek iemand die mij kan helpen in/met het huishouden, die met de kinderen kan onderhandelen over allerlei dingen (hoe laat ze naar bed moeten, bijvoorbeeld) en die de baas over de kinderen kan zijn. Speel je gitaar? Dan ben jij de persoon naar wie we op zoek zijn! Schrijf F. von Trapp, brief nr. 5976

- Uit ervaring weet ik dat mensen in contactadvertenties altijd doen alsof ze supermensen zijn. Ik heb al veel geld uitgegeven aan zulke advertenties, en aan etentjes om kennis te maken met elkaar. Aan het eind van de avond is het altijd hetzelfde: óf de ander wil alleen maar met je naar bed, wil helemaal geen relatie, óf hij wil meteen onderhandelen over de relatie: in welk huis gaan we wonen, wie gaat in deeltijd werken, en dergelijke. Ik zou er een boek over kunnen schrijven ... en dat ga ik doen! Heb jij (man/vrouw) ook ervaring in dit opzicht? Wil je meewerken aan zo'n boek? Schrijf S. Perrier, brief nr. 9348.

Thema 8 – Kunst en architectuur

Onbekende Mondriaan ontdekt

1 b – 2 a – 3 b

Vocabulaire – Onbekende Mondriaan ontdekt

1 van genoten – 2 vervolgens – 3 ten slotte – 4 in plaats van – 5 op basis van – 6 tenslotte – 7 gaat om – 8 netjes

Passieve zinnen

Oefening 2: 1 De kinderen worden geholpen bij de puzzeltocht door het museum. – 2 Er werd hard gelachen. – 3 De kunstdiefstal is opgelost. – 4 De tentoonstelling wordt geopend door de ambassadeur. – 5 Dit lied werd gecomponeerd voor de verjaardag van de koningin. – 6 De gebouwen rond het plein werden ontworpen door een Italiaanse architect. – 7 Er is hier gerookt. – 8 De foto was niet goed afgedrukt. – 9 Er wordt een nieuw theater gebouwd. – 10 Er worden hier veel fietsen gestolen. – 11 De kaartjes zijn al in september besteld.- 12 Alle bekende journalisten waren uitgenodigd voor de première.

Oefening 3: De kunstprijs wordt uitgereikt – De volgende stromingen zijn opgenomen – Elke deelnemer wordt individueel begeleid, Als op locatie wordt gewerkt, schildersbenodigdheden worden door de organisatie weggebracht – De eerste fase

wordt geopend, Dit is bekendgemaakt – De Stichting is opgericht, Dat is mogelijk gemaakt, Dit idee is opgevolgd.
Oefening 4: Er is een onbekende Mondriaan ontdekt. – Het ziekenhuis is met veel muziek geopend. – Er zijn zestien scooterrijders bekeurd. – Er is een manuscript uit de zeventiende eeuw gevonden in een zolderkast. – De woningen aan de Rietbaan zijn snel verkocht.

Gerrit Th. Rietveld

1 a – 2 c – 3 a – 4 b

Vocabulaire – Gerrit Th. Rietveld

1 de richting – 2 Op één tentamen na – 3 met name – 4 ligt ... de nadruk op – 5 zich ... vestigen – 6 uitdrukking – 7 sluit ... aan – 8 tot zijn recht komen

Prepositie-oefening

We waren al lang op zoek naar ons droomhuis. We dachten daarbij aan een huis uit het begin van de vorige eeuw. Een vriend van ons had toevallig in een dorp in de omgeving zo'n huis te koop gezien. Hij had er ook een foto van gemaakt. Op basis van die foto zei ik eigenlijk al 'ja', en toen ik het huis in het echt zag, wist ik het zeker: dit huis komt precies overeen met onze droom.
We konden het huis voor een redelijk bedrag kopen. We hadden geen echte ideeën over de inrichting, maar een broer van mijn vriendin, die van oorsprong architect is, wilde ons wel helpen met adviezen. Hij was meteen heel enthousiast over het huis. Het bestaat eigenlijk uit twee delen: een deel is aangepast aan de wensen van deze tijd, en het andere deel is nog in de oude, originele staat. Met behulp van eenvoudige oplossingen lukte het hem een verbinding te maken tussen deze twee delen. Door de manier waarop hij dat heeft bedacht, komen beide delen goed tot hun recht. Hij was heel trots op het resultaat. En wij waren (en zijn dat nog steeds) heel gelukkig met ons droomhuis!

Thema 9 – Lezen

Hermans lezen helpt bij inburgeren

1 klopt niet – 2 klopt – 3 klopt niet – 4 klopt niet – 5 klopt niet – 6 klopt – 7 klopt

Leesopdracht – Wat u gelezen moet hebben

Top-tien van scholieren	Beschrijving nummer
Karel Glastra van Loon De passievrucht	9
Harry Mulisch De aanslag	5
Boudewijn Büch De kleine blonde dood	6
Tim Krabbé Het gouden ei	3
Yvonne Keuls Het verrotte leven van Floortje Bloem	7
Tessa de Loo De tweeling	4
J. Bernlef Hersenschimmen	2
Tim Krabbé De grot	8
Jan Wolkers Turks fruit	1
Anna Enquist Het geheim	10

Prepositie-oefening

Er is een enquête gehouden naar het leesgedrag van kinderen tussen de 2 en 12 jaar. Ook kinderen die nog niet kunnen lezen, behoorden tot de groep ondervraagden. Leesgedrag wordt namelijk in de vakliteratuur sterk verbonden met voorlezen, beter gezegd: voorgelezen worden. Elke dag vijf tot tien minuten voorlezen is al voldoende voor een positieve houding ten opzichte van lezen en boeken. Voorlezen kan ook leiden tot een andere visie op taal: kinderen zien dat je ook kunt spelen met woorden, ze maken kennis met meer manieren waarop iets gezegd kan worden, de gevoelens die verbonden worden met woorden. Bovendien slaat voorlezen een brug tussen huis en school. Zo kan voorlezen ook helpen bij de overgang als kinderen naar school gaan. Ze maken thuis al kennis met de manier waarop gecommuniceerd wordt op school, en dat is dan weer goed voor hun zelfvertrouwen.

Uit een onderzoek naar leesgedrag van middelbare scholieren van 12 tot 18 jaar blijkt dat veel jonderen moeite hebben met de 'echte' literatuur. De problematiek die daarin een rol speelt, ligt vaak boven het belevingsniveau van deze groep. Enkele docenten Nederlands vinden dat het literatuuronderwijs zich maar moet beperken tot de eenvoudiger romans. Anderen zeggen dat deze houding de oorzaak is van oppervlakkigheid. Met behulp van goede docenten kunnen jongeren inzicht krijgen in het gedachtegoed van grote denkers van/uit onze cultuur. Wie heeft er gelijk? De waarheid ligt waarschijnlijk in het midden!

Bijlage 6
Register vocabulaire

Liedtekstverantwoording

p. 32 'Is dit nou later' – Stef Bos – Tekst en muziek: Stef Bos
Cd: Is dit nu later?, 1990, CNR Music

p. 60 'Liefs uit Londen'– Bløf – Tekst: Peter Slager – Muziek: Bas Kennis
Cd: Helder, 1997, EMI Music Nederland BV

p. 92 'Zij' – Marco Borsato – J. Ewbank en H. Kooreneef
Cd: Onderweg, 2002, Universal Music/Polydor

p. 116 'School' – Circus Custers – Tekst en muziek: Joseph Custers, Herman Erbe en Ben Brouwers
Cd: Kunst en vliegwerk, 1994, CNR Music

p. 147 'Brabant' – Guus Meeuwis – Tekst: Guus Meeuwis – Muziek: Jan Willem Rozenboom
Cd: Guus Meeuwis, 2002, EMI Music Nederland BV

p. 169 'Pepermunt' – Stef Bos – Tekst en muziek: Stef Bos
Cd: Vuur, 1994, CNR Music

p. 191 'Dromen van de toekomst' – Frank Boeijen – Tekst: Frank Boeijen – Muziek: Frank Boeijen en Hennie Vrienten
Cd: Heden, 2001, V2 Records BV

p. 213 'Mondriaan' – Circus Custers – Tekst en muziek: Joseph Custers en Herman Erbe
Cd: Kunst en vliegwerk, 1994, CNR Music

p. 213 'Rembrandt' – Circus Custers – Tekst en muziek: Joseph Custers en Herman Erbe
Cd: Kunst en vliegwerk, 1994, CNR Music

p. 227 'De liefde moe' – Bram Vermeulen – Tekst: Remco Campert –
Boek: Een standbeeld opwinden, 1952, De Bezige Bij
Muziek: Bram Vermeulen, Cd: Denkend aan de Dapperstraat, 1994, Stichting CPNB